que l'intention m'en est claire.
Des signes si différents sont tous
inspirés par le même sentiment ;
cela ne m'est pas moins clair.
Quel est ce sentiment qui se manifeste
par tant de signes contraires ?
C'est celui, je le vois, de tous
mes contemporains ;
du reste, il m'est inconnu. »

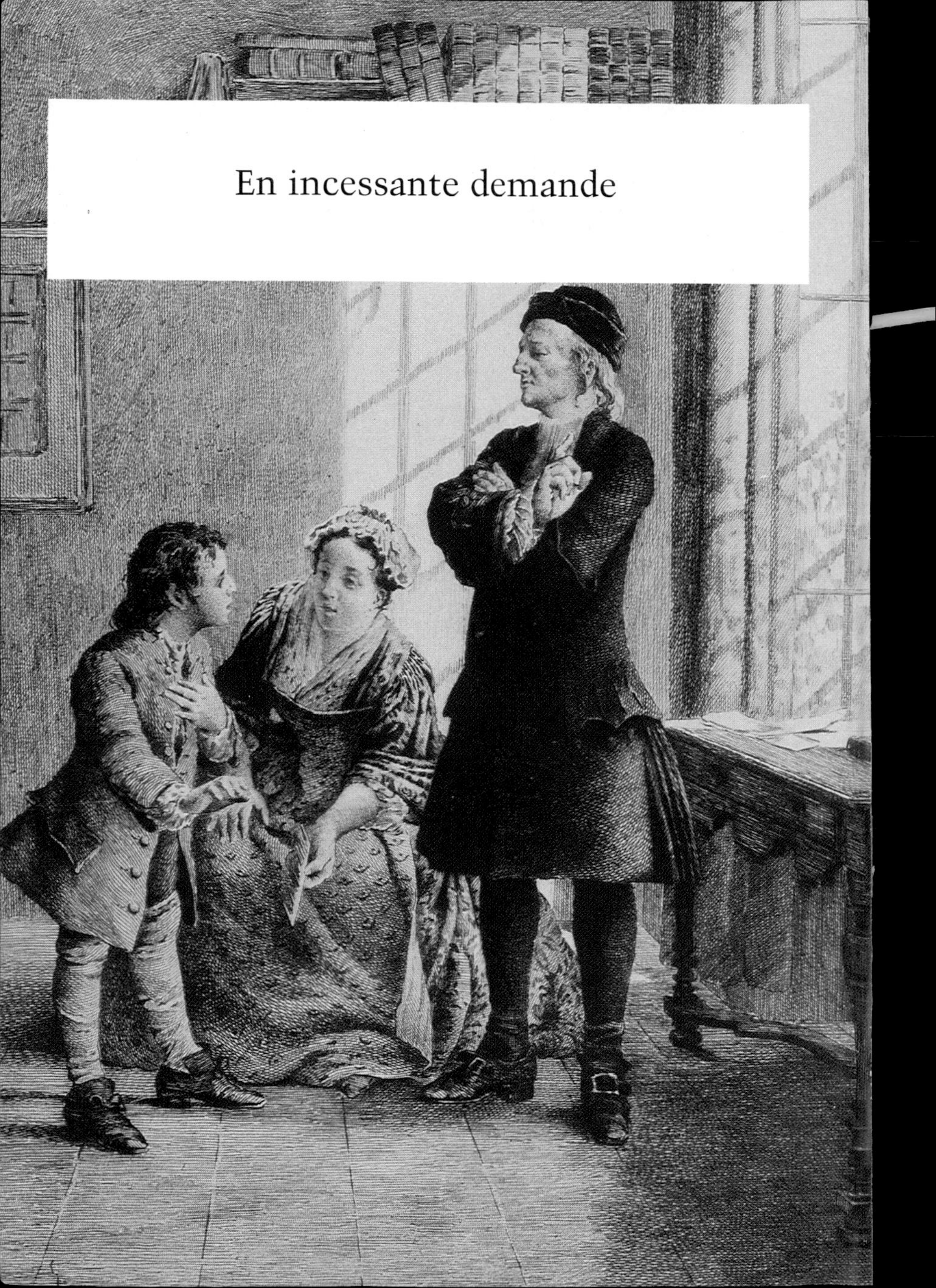

En incessante demande

mais peu enclin à souscrire à toutes les impostures de ce monde,

Rousseau, dans une vie simple
et difficile,

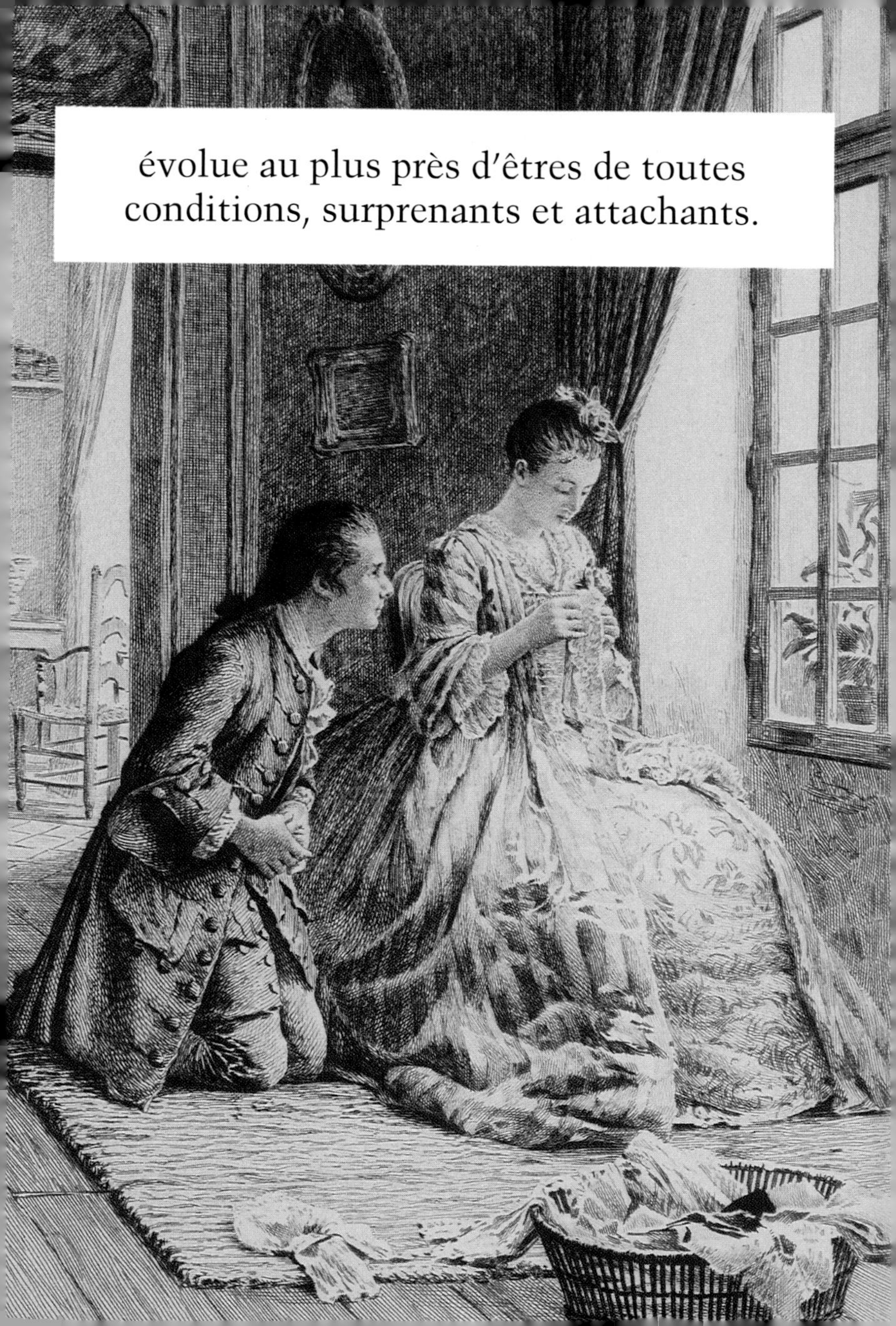

évolue au plus près d'êtres de toutes conditions, surprenants et attachants.

Mais l'exigence dont
il usera pour
gouverner sa vie
et son travail

sera telle, que peu sauront
l'accompagner dans
cette constante tension

qui fera de son existence un don
à la vérité.

Marc-Vincent Howlett est né à Paris en 1948. Après avoir enseigné à Paris VIII au département de psychanalyse, il a poursuivi ses recherches d'anthropologie en esthétique et en psychanalyse. Aujourd'hui professeur de philosophie, il collabore à diverses revues, *l'Ane, Présence africaine, Ornicar, Analytyca* etc., donne des conférences en France et à l'étranger et prolonge son expérience philosophique dans le monde théâtral en tant que dramaturge. Il prépare actuellement, aux confins de la philosophie, de l'anthropologie et de la psychanalyse, un travail sur les formes de la croyance.

Pour Julie et Jérémie

Dépôt légal : octobre 1989
Numéro d'édition : 47542
ISBN : 2-07-053085-X
Imprimerie Kapp-Lahure-Jombart Evreux

L'HOMME QUI CROYAIT EN L'HOMME
JEAN-JACQUES ROUSSEAU

Marc-Vincent Howlett

DÉCOUVERTES GALLIMARD
LITTÉRATURE

le Buet et des Montangnes joignants

En France, les feux du règne de Louis XIV se sont évanouis, ne projetant plus que de faibles lueurs sur une cour déclinante et une noblesse amère. Enclose dans les montagnes, baignée dans le silence d'un lac, la république de Genève fait figure de havre de paix, à l'abri des remous de l'Europe en cette fin du XVIIe siècle. C'est là que naît Jean-Jacques Rousseau, le 28 juin 1712.

CHAPITRE PREMIER
LES INITIATIONS

« Le Genevois tire ses vertus de lui-même; ses vices lui viennent d'ailleurs. [...] Quelque avide qu'il puisse être, on ne le voit guère aller à la fortune par des moyens serviles et bas; il n'aime point s'attacher aux Grands et ramper dans les Cours. L'esclavage personnel ne lui est pas moins odieux que l'esclavage civil. Flexible et liant comme Alcibiade, il supporte peu la servitude. »

La Nouvelle Héloïse

A Genève, le citoyen est roi. En cette terre d'asile de tous les exclus d'Europe se prolonge une vie dont l'impersonnalité de façade cache de nobles consciences, jalouses de leurs prérogatives civiles et religieuses.

Jean-Jacques Rousseau vint au monde au 40 de la Grand-Rue, le 28 juin 1712. Ses parents

s'étaient mariés en 1704. Du père, Isaac Rousseau, on se plaît à reconnaître qu'il était une forte tête, habile horloger, violoniste et maître de danse à ses heures, et qu'il sut toujours faire preuve de fantaisie et d'indépendance : n'avait-il pas quitté femme et enfant – le frère aîné de Jean-Jacques, né en 1705 – pour découvrir des horizons nouveaux du côté de Constantinople ? De Suzanne Rousseau, la postérité gardera le souvenir d'une femme volontaire, très libre, fort belle, avide de vie et de fêtes. Cette femme, Jean-Jacques ne la connaîtra jamais : elle meurt en lui donnant le jour.

La mort de son épouse et des difficultés financières croissantes poussèrent Isaac Rousseau (page de gauche) en 1717 à installer toute sa famille dans le quartier populaire de Saint-Gervais, rue de Coutance (ci-dessous).

Un adolescent en quête de tendresse découvre le plaisir de la lecture

Ainsi commence son existence : avec une mère absente, dont Isaac entretient le souvenir. Jean-Jacques cherchera inlassablement la présence de celle que la naissance lui a, à tout jamais, ravie.

Une telle perte ne se mesure que plus tard. Pour le moment, Jean-Jacques traîne dans l'atelier d'horloger de son père. Privé de sa mère Suzanne, il est élevé par une autre Suzanne, sœur de son père : tante Suzon. Les chansons de tante Suzon et les livres de sa mère, que lui lit Isaac des nuits entières, contribuent à donner à ces années le goût du bonheur. Jean-Jacques naît à l'existence au contact des images maternelles. Les romans, les femmes qui l'entourent, jusqu'au père, tous réitèrent le souvenir de la mère. Le paradis est féminin.

Quelque temps après, les rôles s'échangent : c'est Jean-Jacques qui fait la lecture à son père dans l'atelier. Ces lectures sont diverses mais toutes propres à forger un caractère hautement vertueux : Ovide, Bossuet, Fontenelle, jusqu'à d'Urfé et Plutarque dont il ne cessera de louer la valeur édifiante. Cette bienheureuse période est hélas brusquement interrompue.

“ Je n'ai pas su comment mon père supporta cette perte; mais je sais qu'il ne s'en consola jamais. [...] Quand il me disait : Jean-Jacques, parlons de ta mère, je lui disais : hé bien, mon père, nous allons donc pleurer; et ce seul mot lui tirait déjà des larmes. Ah! disait-il en gémissant; rends-la moi, console-moi d'elle; remplis le vide qu'elle a laissé dans mon âme. T'aimerais-je ainsi si tu n'étais que mon fils? ”

Les Confessions, livre I

“ Ma mère avait laissé des romans [...]; nous lisions tour à tour sans relâche, et passions les nuits à cette occupation. Nous ne pouvions jamais quitter qu'à la fin du volume. Quelquefois mon père, entendant le matin les hirondelles, disait tout honteux : allons nous coucher; je suis plus enfant que toi. ”

Les Confessions, livre I

La faute, la fessée et la fugue

A l'occasion d'une querelle malheureuse avec un membre du conseil, Isaac est obligé de quitter Genève. Il laisse la garde de ses deux fils à son beau-frère Gabriel Bernard, lequel envoie son propre fils Abraham – de six mois l'aîné de Jean-Jacques – et ce dernier, âgé de dix ans, auprès du ministre Lambercier, à Bossey, pour y parfaire leur éducation. Là, deux fessées chassent Jean-Jacques de l'innocence enfantine. Lors de la première, donnée par Mlle Lambercier, sœur du pasteur, il perçoit «dans la douleur, dans la honte même, un mélange de sensualité qui [lui] avait laissé plus de désir que de crainte de l'éprouver derechef par la même main».

La seconde, administrée par le pasteur, lui est value par le refus d'avouer une faute qu'il n'a point commise et dont chacun pourtant le croit coupable : on a retrouvé cassé le peigne de Mlle Lambercier. Cette fessée marque l'avènement d'une distance qu'il s'empresse d'ériger en symbole du fossé entre la vérité et le mensonge – il y a là une première fracture à l'intérieur d'un monde qu'il voulait, de toutes ses forces, considérer comme originellement édénique.

Non loin de Genève, à cinq ou six kilomètres, au pied du Salève, à Bossey, Jean-Jacques connaît son premier exil. A l'écart des conflits de Genève-la-ville, comme Genève-la-république fut à l'écart des remous malséants des cours européennes, Bossey, dans l'ambigu repos d'un temps de prélude, marque les premiers pas de sa fuite loin de toutes les aliénations.

Pour irriguer la bouture de saule, Jean-Jacques et son cousin n'hésitent pas à détourner l'eau primitivement promise au noyer planté sur la terrasse par le pasteur Lambercier.
Le courroux du pasteur est vif : il arrache la bouture et détruit le cours d'irrigation. L'innocence de l'acte de Jean-Jacques (en partie identificatoire : faire comme le pasteur) rencontre la démesure d'une destruction.

« Là fut le terme de la sérénité de ma vie enfantine. Dès ce moment je cessai de jouir d'un bonheur pur, et je sens aujourd'hui même que le souvenir des charmes de mon enfance s'arrête là. »
Les Confessions, livre I

En septembre 1724, Jean-Jacques et Abraham quittent Bossey et regagnent Genève. Jean-Jacques est placé chez un homme de loi – M. Masseron – qui, visiblement, ne sait pas lui donner le goût de cette loi si particulière. Il ne sera pas clerc d'huissier. Restent, comme heureux souvenirs et comme préludes ambigus à toutes ses relations féminines, les charmants minois des demoiselles de Vulson et Goton, avec lesquelles il s'adonne aux jeux des amours enfantines, et la boutique de M. La Tribu où il se gave de lectures.

Le 26 avril 1725, on le place chez le graveur Abel Ducommun, à charge pour ce dernier de lui apprendre le métier et «de l'élever et l'instruire en la crainte de Dieu et bonnes œuvres». Il y apprend l'humiliation du déclassement et ne reconnaît jamais, dans les fortes sentences de son maître, matière à le recevoir comme tel. N'est pas maître qui de droit s'en prévaut! Il n'a d'autre salut que de s'échapper au mois de décembre 1727; il découvre la marque de son destin : la fuite.

La religion catholique, la pauvreté et les femmes bien intentionnées lui tendent les bras...

Jean-Jacques erre seul autour de la ville.

A Confignon, en pays catholique, il rencontre le curé de Pontverre. C'est alors que Jean-Jacques entre dans la filière de la conversion. Il est recommandé auprès de Mme de Warens à Annecy.

Le dimanche des Rameaux (21 mars 1728), au lieu d'une bigote confite en dévotion, lui apparaît une jeune personne fort avenante : «un visage pétri de grâces, de beaux yeux pleins de douceur, un teint éblouissant, le contour d'une gorge enchanteresse». La nouvelle religion s'annonce sous les meilleurs auspices. Trois jours après, il est à Turin, loge à l'hospice des Catéchumènes de Spirito Santo à partir du 12 avril, abjure le 21 et est baptisé le 23 : il se fait appeler Jean-Joseph Rousseau. L'affaire est rondement menée. Pauvre, il se doit de gagner sa vie; le voilà donc, en qualité de secrétaire, au service de quelques maîtresses de maison qui, tout en lui reconnaissant parfois des vertus qui le sortent de la médiocrité de sa position, lui assènent, de façon souvent définitive, la loi de l'inégalité sociale.

Jean-Jacques les voit en homme et se prend à les désirer; il attend d'elles des signes, il s'approprie les plus flatteurs et se lamente à foison des camouflets qu'elles ne manquent pas de

« En entrant [à l'hospice des Catéchumènes] je vis une grosse porte de fer, qui dès lors que je fus passé, fut fermée à double tour sur mes talons. Ce début me parut plus imposant qu'agréable» (*Les Confessions*, livre II). Fraîchement converti, Rousseau, livré à la bonne société turinoise, tente d'y faire reconnaître ses talents.

lui infliger. Tous ces «riches et heureux du monde» induisent en lui une «orgueilleuse misanthropie».

Avec son ami Bâcle et sa fontaine de Héron, dont il fait la démonstration pour subvenir à ses besoins, il quitte Turin. Tout devient si aisé quand on est délivré du poids de la ville! Ils imaginent les auberges leur ouvrant leurs portes, se voient les convives de tous les festins pour ne rencontrer, en réalité, une nouvelle fois, que pauvreté et indifférence.

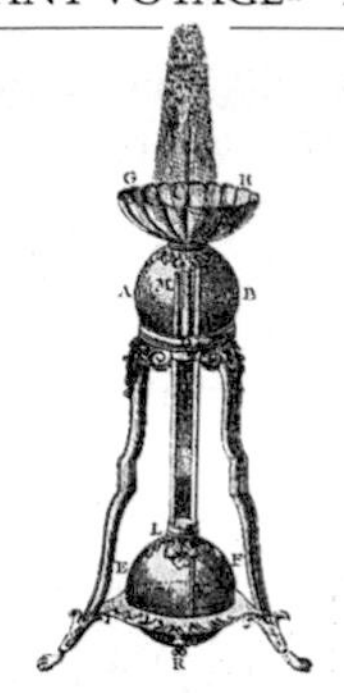

La fontaine de Héron était une machine qui permettait de faire jaillir de l'eau grâce à de l'air comprimé.

Une «mère» ambiguë : Mme de Warens. Une compagne dans la fuite : la musique

A dix-sept ans, Jean-Jacques est en rupture avec tout ce qui aurait pu être un départ. Calviniste genevois, puis catholique savoyard : conversion qui trahit sa quête d'identité. Un épisode au séminaire des lazaristes tourne court; il n'a décidément pas cette vocation.

« [Mme de Warens] avait de ces beautés qui se conservent, parce qu'elles sont plus dans la physionomie que dans les traits; aussi la sienne était-elle encore dans son premier éclat. Elle avait un air caressant et tendre, un regard très doux, un sourire angélique, une bouche à la mesure de la mienne, des cheveux cendrés d'une beauté peu commune. [...] Elle était petite de stature, courte même et ramassée un peu dans sa taille, quoique sans difformité. Mais il était impossible de voir une plus belle tête, un plus beau sein, de plus belles mains et de plus beaux bras. Son éducation avait été fort mêlée. Elle avait ainsi que moi perdu sa mère dès la naissance. »

Les Confessions, livre II

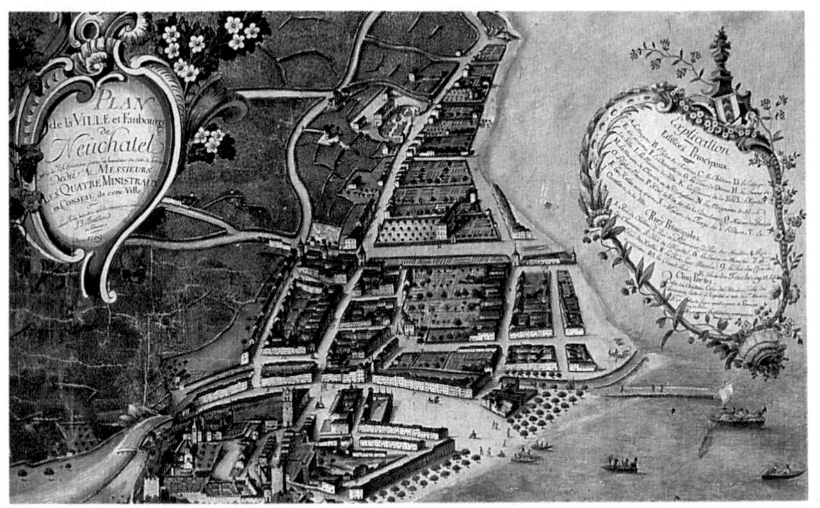

La musique le retient. Un seul «texte» nourrit cette période lazariste : un recueil de cantates de Clérambault. Il manifeste quelque talent de chanteur qui incite Mme de Warens, qu'il appelle Maman, à l'inscrire, en ces premiers jours d'octobre 1729, à la maîtrise de la cathédrale d'Annecy. Même dans ce monde coi et distancié, Jean-Jacques ne peut trouver sa place. Toutes les raisons de partir sont bonnes. Le maître de chœur – justement appelé Le Maistre – se fâche avec le chapitre de la cathédrale. Jean-Jacques l'accompagne dans sa fuite. Pendant trois semaines, il parcourt les routes, puis revient à Annecy où il apprend le départ pour Paris de Mme de Warens. Il retrouve Venture de Villeneuve – musicien dont il a fait la connaissance quelques semaines plus tôt à la maîtrise. Le jeune Rousseau ne jure plus que par lui. Pour le moment il suit Anne-Marie Merceret, servante de Mme de Warens, pour unir sa solitude à la sienne sur les routes qui les mènent à Fribourg. Passant par Genève et Nyon, où il revoit son père à présent remarié avec une femme évidemment «un peu mielleuse», selon Jean-Jacques, il arrive à Fribourg, y laisse Anne-Marie Merceret et regagne Lausanne et Neuchâtel où il passe tout l'hiver 1730-1731.

L'argent lui faisant défaut, Rousseau donne des leçons de musique à quelques «écolières» de Neuchâtel. Tout au long de sa vie, il apprécia diversement ces lieux. Il aima ses environs où vivaient les «montagnons» dont le mode de vie, empreint d'austérité, de culture et de vertu, lui plaisait tant. Les Neuchâtelois, en revanche, durent subir le feu de ses critiques. Il leur reprochait, comme à tout habitant des villes, d'apprécier davantage le clinquant, les flatteries et le faux esprit que les attributs de la vertu.

Au cours d'une promenade, Mme de Warens lui fait remarquer «quelque chose de bleu dans la haie», une pervenche. Trente ans plus tard, herborisant, il découvre une pervenche. Il en concevra une si vive joie qu'il saura signifier par le retour de ce «signe mémoratif» combien furent heureux ces jours avec «Maman».

Quand la maman devient maîtresse, et que les rêves de gloire s'étoffent

Jean-Jacques va suivre l'exemple de son ami et maître Venture de Villeneuve. L'identification va jusqu'à lui faire adopter, par le jeu de l'anagramme, le nom de Vaussure de Villeneuve. Il devient musicien et fait jouer ses compositions. Le concert est un fiasco... De tels déboires le poussent à retrouver les routes. Il part pour Paris, dans l'espoir d'être gouverneur d'un jeune prince, puis maréchal de camp; une place de valet lui est offerte! Fin 1731, il revient à Chambéry, aux Charmettes. Un nouvel homme, Claude Anet, jouit des faveurs de Mme de Warens. Pour le moment, peu lui chaut! Car la gloire passe par la musique. Aussi court-il auprès de l'abbé Blanchard – maître de musique de la cathédrale de Besançon – dont on assure qu'il va devenir «premier maître de quartier de la musique de chambre du roi de France».

En 1733, soit que Claude Anet soit en disgrâce ou que le «petit» s'affirme, Jean-Jacques est traité en «homme» par Maman. «Fus-je heureux? Non, je

❝ Ici [aux Charmettes] commence le court bonheur de ma vie; ici viennent les paisibles mais rapides moments qui m'ont donné le droit de dire que j'ai vécu [...]. Je me levais avec le soleil et j'étais heureux; je me promenais et j'étais heureux, je parcourais les bois, les coteaux, j'errais dans les vallons, je lisais, j'étais oisif, je travaillais au jardin [...] et le bonheur me suivait partout; il n'était dans aucune chose assignable, il était tout en moi-même, il ne pouvait me quitter un seul instant. ❞

Les Confessions, livre VI

goûtai le plaisir. Je ne sais quelle invisible tristesse en empoisonnait le charme. J'étais comme si j'avais commis l'inceste.»

Au contact des amis de Mme de Warens, Jean-Jacques s'imprègne des idées à la mode, rédige quelques textes, dont la plupart portent la marque de l'autodidacte : *Essai sur les événements importants dont les femmes ont été la cause; Chronologie universelle ou Histoire générale des Temps, depuis la création du Monde jusques à présent ; Narcisse ou l'amour de lui-même...*; il découvre Rameau mais lui préfère les cantates de Bernier et de Clérambault.

❝ Les opéras de Rameau [...] relevèrent ses ouvrages théoriques que leur obscurité laissait à la portée de peu de gens. Par hasard, j'entendis parler de son traité de l'harmonie... Par un autre hasard, je tombai malade. ❞

Les Confessions, livre V

<u>L'accession à l'âge adulte : une seconde naissance plus difficile que la première</u>

En 1737, Jean-Jacques aborde sa majorité. Mme de Warens s'irrite de la présence continuelle de cet oisif de charme. Cette majorité, il la repousse, il ne veut pas la voir. A la veille de celle-ci, il devient aveugle et se sent mourir. Il rédige un testament, mais la mort lui échappe; il recouvre toutes ses forces... pour percevoir l'héritage de sa mère. En ces quelques jours, tout se précipite.

Jean-Jacques prend conscience que sa place auprès de Mme de Warens est de nouveau prise, aux Charmettes, par un certain M. Wintzenried : il s'en émeut au point de tomber, là encore, malade. Il se croit victime d'un «polype au cœur». Se faisant appeler M. Dodding, il part pour Montpellier consulter un «spécialiste».

Jean-Joseph à Turin, Vaussure de Villeneuve à Lausanne, M. Dodding entre Chambéry et Montpellier, Rousseau parvient difficilement à se faire un nom. Il se plaint : sa correspondance est truffée de griefs et de propos acerbes. Il se sait délaissé par Maman; sans argent, il lui en réclame à tout propos. Peu de solutions en février 1738, sinon celle de revenir aux Charmettes où on ne l'attend plus. Mme de Warens, résidant le plus souvent à Chambéry, lui laisse la propriété.

Période studieuse. Jean-Jacques lit avec passion, aussi bien des traités mathématiques (L'Hôpital : *Analyse des infiniment petits*, le père Bernard Lamy) que des essais philosophiques (Platon, Montaigne, Descartes, Malebranche) et des livres d'éducateurs (Fleury, Rollin, Locke, l'abbé de Saint-Pierre, etc.). Les romans ne sont pas délaissés, notamment *l'Astrée*, pierre d'angle de l'imaginaire romanesque, mais ils sont accompagnés d'ouvrages théoriques qui étayent l'initiation intellectuelle de Jean-Jacques. Pour se distraire des rigueurs de l'étude, il court la campagne et commence à s'intéresser aux plantes et aux fleurs. En 1740, Rousseau a vingt-huit ans; il n'est, à ses yeux, qu'un «honnête homme maltraité de la fortune».

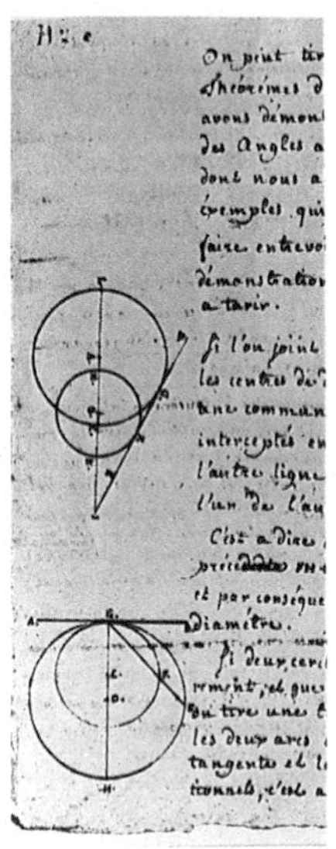

« Je n'ai jamais été assez loin pour bien sentir l'application de l'algèbre à la géométrie. Je n'aimais point cette manière d'opérer sans voir ce qu'on fait, et il me semblait que résoudre un problème de géométrie par les équations, c'était jouer un air en tournant une manivelle [...]. Ce n'était pas que je n'eusse un grand goût pour l'algèbre en n'y considérant que la quantité abstraite, mais appliquée à l'étendue je voulais voir l'opération sur les lignes, autrement je n'y comprenais rien.» (*Les Confessions*, livreVI) Ci-dessus, un extrait de son cahier d'études de géométrie; ci-contre, Rousseau herborisant.

L'IMAGE NOTRE DAME

La musique et Paris pour la gloire présente; la pédagogie pour l'œuvre future

Le 1er mai 1740, Jean-Jacques entre au service de M. de Mably, grand prévôt de Lyon, comme précepteur de deux enfants : MM. de Condillac et de Sainte-Marie. La tâche se révèle difficile. Il s'en cache la réalité en s'éprenant de Mme de Mably.

Dans cette maison très libérale, où l'on philosophe volontiers et où l'on prise quelques audaces de la pensée, Jean-Jacques s'enhardit au point d'écrire un *Mémoire sur l'éducation de Monsieur de Sainte-Marie*. Résolument moderniste, il construit une «pédagogie» autour de trois principes : former le cœur, former le jugement, former l'esprit; chacun de ces termes impliquant les autres. C'est en conservant l'excellence du cœur de l'enfant que l'on peut espérer édifier un jugement de raison et un esprit bien formé. Des pans entiers de l'*Emile* sont déjà ébauchés. Cela n'a pas l'heur de plaire à M. de Mably : il ne renouvelle pas le contrat de Jean-Jacques, qui retourne aux Charmettes de 1741 à 1742, puis revient à Lyon où il compose quelques épîtres (dont l'*Epître à Parisot)*, un opéra (*La Découverte du Nouveau Monde*) et entreprend de proposer un nouveau système de notation musicale. Un tel projet ne nécessite rien moins que la rencontre avec Paris et l'Académie.

La capitale des Lumières – Paris – recèle également des pans d'ombre que Rousseau sut très vite reconnaître. Le contraste est frappant entre l'intelligence qui règne dans les salons, la splendeur des monuments et la pauvreté des faubourgs où s'entasse un peuple en quête de travail, logé dans des maisons collées les unes aux autres et uniformément noires de saleté. Paris est une ville industrieuse; on y souffre, on y crie, on vit dans les immondices au moment même où, à quelques lieues, le soleil de l'intelligence éclaire les fastes de la culture.

Par cette nouvelle notation musicale, Rousseau entreprend, en donnant plus «d'évidence à nos signes», d'alléger la «mémoire des écoliers».

Durant cette année 1742, Jean-Jacques fait feu de tout bois. Il a des idées sur tout et veut les exprimer au plus vite. A l'oisiveté qui cachait sa lente initiation s'est substituée l'exigence d'une œuvre à faire. A Paris, il loge à l'hôtel Saint-Quentin, rue des Cordiers, à quelques mètres de la Sorbonne; très vite, il fréquente dans les cafés et les salons l'intelligentsia parisienne : il y rencontre, entre autres, Diderot. La relation avec ce dernier se résume à quelques parties d'échecs que Jean-Jacques gagne régulièrement. Pour le moment, son souci principal est la lecture de son projet à l'Académie. La séance est prévue pour le

22 août 1742. Ces messieurs ne prennent pas en mauvaise part le projet de Rousseau; ils lui prodiguent même quelques compliments, mais jugent le projet «ni neuf, ni utile». La sentence, bien que mesurée, est sans appel. Rameau, qui – ou parce qu'il – ne fait pas partie de l'Académie, lui propose quelques observations. Les signes de son système «sont mauvais en ce qu'ils exigent une opération de l'esprit qui ne peut toujours suivre la rapidité de l'exécution». Jean-Jacques accepte ces remarques d'autant plus volontiers qu'elles viennent d'un musicien d'immense renom dont l'attention le flatte.

« Autant à mon précédent voyage j'avais vu Paris par son côté défavorable, autant à celui-ci je le vis par son côté brillant, non pas toutefois quant à mon logement; [...] vilaine rue, vilain hôtel, vilaine chambre... »

Les Confessions, livre VII

De l'Académie à la diplomatie, de Paris à Venise : les voies du succès sont impénétrables

Il demande à Marivaux de corriger et d'annoter son *Narcisse*; il sollicite auprès de M. de Fontenelle quelques conseils pour bien gouverner sa vie. Dès janvier 1743, il entreprend la publication de sa *Dissertation sur la musique moderne,* dans laquelle il insiste sur les bienfaits pédagogiques de sa méthode d'écriture musicale. Dans l'atmosphère fiévreuse du Paris de l'intelligence, tous les rêves sont possibles. Il rédige même un projet pour «planer dans les airs»,

Dans les milieux musicaux de la capitale, ceux que Rousseau nomme par dénigrement «les croquesols», s'emploient à diminuer l'importance de son système de notation.

Le Nouveau Dédale, qu'il ne publiera pas. Il est introduit auprès de M. Dupin, fermier et conseiller du roi. Une famille honorée, partagée entre sa résidence parisienne et le château de Chenonceaux, un jeune garçon – Dupin de Chenonceaux – âgé de douze ans, sans précepteur : tous les éléments sont réunis pour que Jean-Jacques trouve un gîte à la hauteur de ses ambitions. Mais la femme est de trop. Mme Dupin, femme de trente-six ans, belle et vertueuse, ne peut que susciter son fol empressement. Elle scelle son échec dans cette maison.

Il a trente ans. «Je connais trop la triste fatalité qui me poursuit pour compter sur un bien capable de me rendre heureux.» Comme pour marquer la faille dans cette vie tendue vers la recherche d'un équilibre, Jean-Jacques tombe malade, victime d'une fluxion de

A Venise, Rousseau s'affirme comme le défenseur des droits de la France. Il s'acquittera si bien des tâches ordinairement dévolues à un secrétaire d'ambassade qu'il en fera fonction sans en avoir le titre.

poitrine. A son insu, il mime la mort pour mieux renaître. Cela peut également donner un projet d'opéra : *Les Muses galantes,* réconciliation, dans l'imaginaire de la création, d'êtres qui ne peuvent prendre corps dans la réalité.

On lui trouve une place de secrétaire auprès de M. de Montaigu – ambassadeur de France à Venise. Après l'Académie, la diplomatie : des lieux bien officiels pour un esprit déchiré entre la soif de reconnaissance sociale et l'incapacité à lier des relations seulement mondaines. Jean-Jacques n'a pratiquement plus de ressources, mais négocie âprement ses émoluments. Il souhaite 1200 livres; on ne lui en attribue que 1000. Il n'a, en fait, jamais été aussi riche!

Le 5 septembre 1742, il entre à Venise.

L'activité de Rousseau au service de l'ambassade confine au zèle. Il se dépense sans compter. Palliant les carences de l'ambassadeur et du consul, ne va-t-il pas jusqu'à régler des contentieux commerciaux entre des sujets français et la république de Venise pour le plus grand bénéfice des premiers : après une querelle entre l'équipage et les autorités, un vaisseau français est mis aux arrêts. Rousseau vient lui-même dresser le procès-verbal en gondole, la loi lui interdisant de monter à bord, et règle le litige sans préjudice pour le capitaine français.

Venise n'est plus dans Venise, mais le bel canto y colore le sacré de sensualité

Le nom de Venise charme l'esprit d'un citoyen natif de la petite et orgueilleuse république de Genève. Mais M. de Montaigu est un personnage fat et médiocrement intelligent. Jean-Jacques vit de plus en plus mal dans un univers qui se résume au décodage des courriers diplomatiques et à la rédaction des missives de l'ambassadeur, écritures qui vont à l'encontre de son désir de communication immédiate.

Les femmes de Venise sont vénales, celles, du moins, dont il nous parle. Il connaît des fortunes diverses : avec l'une – la Padoana –, il se croit la proie de la vérole; avec une autre – la Zulietta –, il subit un nouveau fiasco. Mi-narquoise, mi-blessée, la Zulietta lui envoie un «*Zanetto, lascia le donne e studia la matematica*», propre à faire échec à toute velléité mathématicienne... A défaut de pouvoir jouir de leur corps, il s'éprend de leur voix entendue dans les *scuole*.

Toutefois l'inconvenance de cette irruption du plaisir dans le sacré ne pouvait qu'inquiéter Rousseau tant le sentiment qui s'en dégageait était plus proche de l'extase amoureuse que de la prière. Le bel canto avait investi les lieux de la célébration religieuse.

Venise ne le laisse pas jouir de ces moments d'émotion. Il y a également la dure réalité de son service d'ambassade et les différends toujours plus vifs avec M. de Montaigu. La coupe est pleine : Jean-Jacques – auquel Son Excellence, lasse de ce secrétaire trop encombrant, a donné congé – quitte Venise le 22 août 1743.

«J'eus pour cette musique [italienne] la passion qu'elle inspire à ceux qui sont faits pour en juger.» La musique italienne – qu'elle soit populaire, qu'il s'agisse d'opéra ou de musique sacrée – excelle à ravir le cœur de Jean-Jacques. Tout n'y est que «goût exquis des chants, beauté des voix, justesse de l'exécution» au point de se «croire en Paradis».

Retour à Paris. Mais la gloire n'en finit pas de se faire attendre

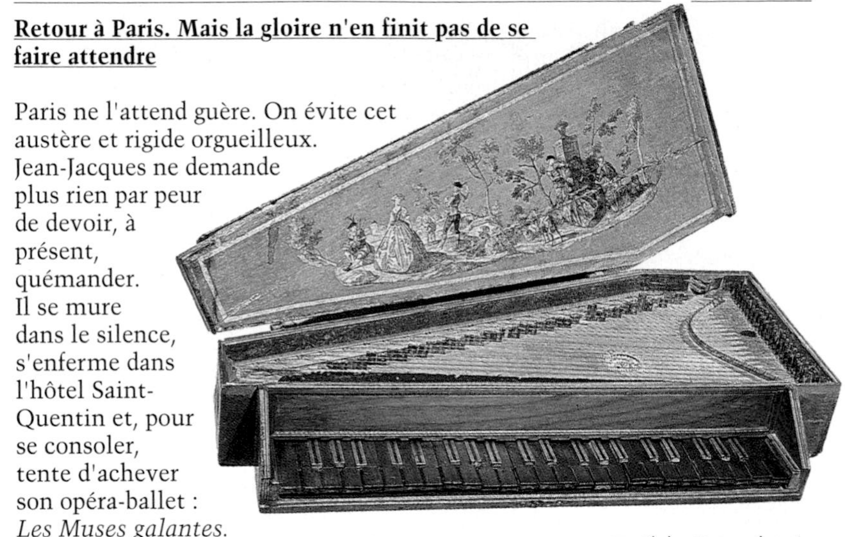

Paris ne l'attend guère. On évite cet austère et rigide orgueilleux. Jean-Jacques ne demande plus rien par peur de devoir, à présent, quémander. Il se mure dans le silence, s'enferme dans l'hôtel Saint-Quentin et, pour se consoler, tente d'achever son opéra-ballet : *Les Muses galantes.*

La musique le sort de ce silence hostile. M. de Richelieu apprécie *Les Muses galantes* et commande à Jean-Jacques quelques arrangements pour la représentation d'une comédie-ballet de Rameau et Voltaire : *La Princesse de Navarre.* Voltaire reprend son propre livret, le concentre en un acte et le présente sous un nouveau titre : *La Fête de Ramire,* à charge pour Rousseau d'accorder le texte à la musique de Rameau.

Jean-Jacques se trouve ainsi livré à deux célébrités de cette première moitié du siècle : l'occasion est bonne de frayer avec les meilleurs. Il écrit à Voltaire, implore qu'il s'intéresse à son travail. Voltaire lui renvoie quelques compliments de circonstance sur un ton très distant. Le travail traîne, Rameau s'en irrite puis termine la tâche dévolue primitivement à Rousseau. D'ailleurs, jamais, lors de la représentation (22 décembre 1745), le nom de Rousseau n'est prononcé. La gloire n'est décidément pas pour lui. Jean-Jacques n'a plus qu'à retrouver son hôtel de la rue des Cordiers et à prendre la défense d'une autre réprouvée de la société, objet des taquineries et des moqueries de tous les pensionnaires : une jeune servante du nom de Thérèse Levasseur.

L'épinette représente, avec le clavecin dont elle est la réduction, l'âme de la musique du XVIIIe siècle.

Au XVIIIe siècle, l'importance de l'opéra est telle que nombre de philosophes et écrivains vont participer à son écriture. Qu'ils soient librettistes (Voltaire, Rousseau, Beaumarchais), musiciens (Rousseau, Rameau) ou théoriciens (Diderot, Grimm) tous se rencontrent, peu ou prou, sur la nécessité d'élaborer un opéra fidèle au réel. Dégagés des artifices et extravagances du Baroque, ils se veulent au plus près du langage réaliste des passions.

En cette année 1745, l'homme aux multiples émois amoureux et aux conquêtes féminines incertaines – dont les noms s'apparentaient davantage aux rangs de la société aisée qu'à ceux de la roture – lie son sort à Thérèse Levasseur, une jeune femme de vingt-trois ans que chacun s'entend et s'entendra à mépriser. Jean-Jacques a trente-trois ans. Il lui en reste autant à vivre : il les passera avec Thérèse.

CHAPITRE II
L'ENGAGEMENT

« Le sort m'avait ôté, m'avait aliéné, du moins en partie, celui pour lequel la nature m'avait fait. Dès lors, j'étais seul, car il n'y eut jamais pour moi d'intermédiaire entre tout et rien. Je trouvais dans Thérèse le supplément dont j'avais besoin; par elle je vécus heureux autant que je pouvais l'être selon le cours des événements. »

Les Confessions, livre VII

Au mitan de sa vie, Rousseau a connu toutes les désillusions, la honte et l'amertume qu'un plébéien découvre au contact des nantis de son temps. Le destin de Jean-Jacques est ailleurs, loin des gloires reconnues (Voltaire, Rameau), au plus près de quelques jeunes intellectuels – pour la plupart issus de province –, au faîte de leur trentaine hautaine, qui ont pour nom Condillac, d'Alembert et Diderot.

Avec des gaillards de cette trempe, la raison est au pouvoir et tout individu sollicitant le titre de philosophe se doit d'être «un honnête homme qui agit en tout par la raison et qui joint à un esprit de réflexion et de justesse les mœurs et les qualités sociables».

Une intelligence en révolte, prête à l'excès et à la polémique

Jean-Jacques avoue une certaine timidité devant ces êtres de fièvre et de conquête. Diderot l'incite à prendre la parole, à la délivrer de cette inhibition qui sied à tous les orgueilleux, à la traduire en actes d'écriture jusqu'à l'excès recommandé par Shaftesbury : «Il est visible qu'un écrivain doit être d'autant plus estimable dans son espèce qu'il sait

D'Alembert (1717-1783), après des études de mathématiques et de droit, s'engage très tôt dans le travail scientifique. A vingt-six ans il publie un *Traité de dynamique.* A vingt-sept ans, il présente son *Traité de l'équilibre et du mouvement des fluides* et, un an plus tard, en 1745, il propose un *Traité des vents*. En 1746, il est membre associé de l'Académie des sciences : il a vingt-neuf ans.

Les cafés parisiens – le Conti, le Procope et la Régence – sont des lieux où s'échangent les propos les plus libres, annonciateurs d'œuvres futures.

mieux surprendre son lecteur par des changements soudains et en passant brusquement d'une extrémité à l'autre.»

Pour le moment, un grand projet échoit à Diderot. Le 16 octobre 1747, le libraire Le Breton le charge de diriger, avec d'Alembert, une encyclopédie. En attendant que ce grand œuvre prenne corps, Diderot, Condillac et Rousseau se réunissent une fois la semaine du côté du Palais-Royal pour un dîner au Panier fleuri. L'idée est lancée d'écrire, à tour de rôle, dans un périodique, *Le Persifleur,* afin d'engager la lutte philosophique. Jean-Jacques ne se fait pas prier : l'occasion est trop belle de dire enfin sa rage.

On lui propose de discourir sur les ouvrages de son temps. Il revendique le droit de ne pas être savant et s'offre en victime consentante à ceux qui ne trouveraient pas dans son texte une image flatteuse.

« C'est mon habitude d'aller [...] me promener au Palais-Royal [...]. J'abandonne mon esprit à tout son libertinage. Je le laisse maître de suivre la première idée sage ou folle qui se présente... »

Diderot,
Le Neveu de Rameau

Ci-dessus, un dîner au Panier fleuri, gravure de Leloir.

Rien ne sera étranger à sa verve dévastatrice et il maniera la singularité et la sincérité jusqu'à la «folie» : «Ma grande folie est de vouloir ne consulter que la raison et ne dire que la vérité [...]. Les jugements peuvent être faux, mais le juge ne sera jamais inique.»

Rousseau travaille comme secrétaire auprès de Mme Dupin et de son beau-fils Dupin de Francueil. Sans rancune pour ses égarements passés, elle semble satisfaite des talents de Rousseau : il est appointé (800 à 900 livres).

Il s'acquitte de toutes les tâches de documentaliste afin de pourvoir aux dossiers et mémoires qu'ils préparent. Avec Mme Dupin, il envisage d'écrire une défense des femmes; avec Dupin de Francueil, il mène des expériences de chimie et consigne leurs recherches dans un recueil inachevé de 1 206 pages, *les Institutions chimiques,* qui expose des idées originales sur le rejet de l'alchimie et l'importance de la démarche expérimentale. Quelques fêtes à Chenonceaux lui permettent de renouer avec la comédie, même si certains accents poétiques et plaintifs dans *L'Allée de Sylvie* atténuent le charme de ces jours.

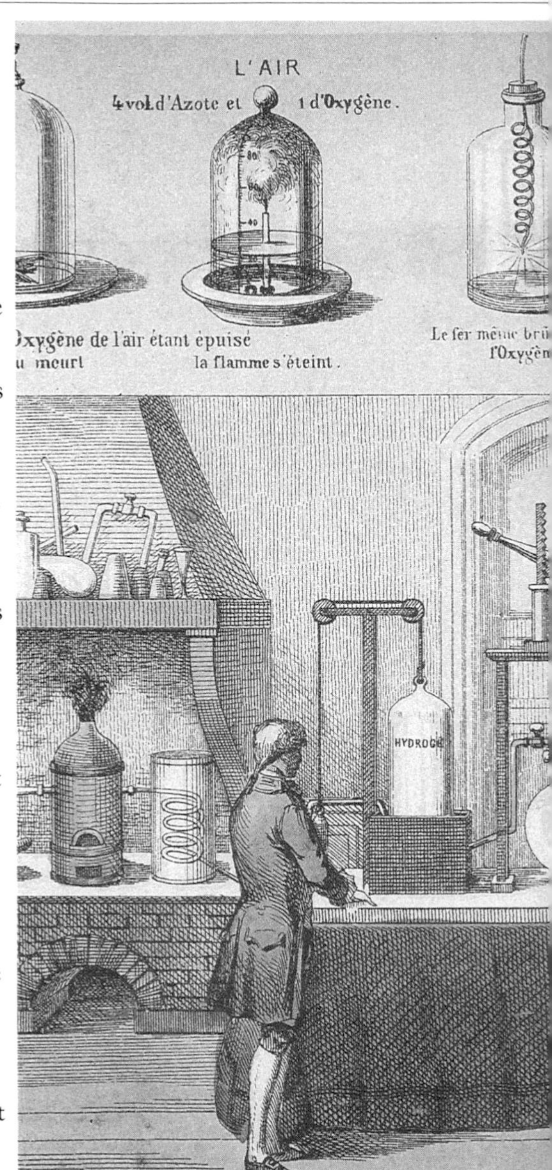

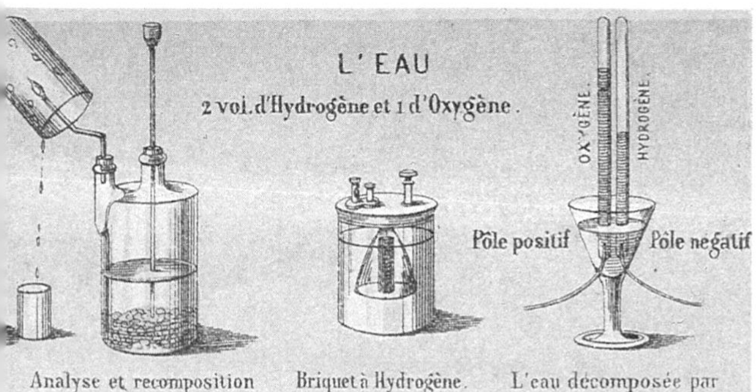

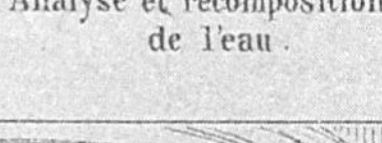

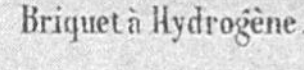

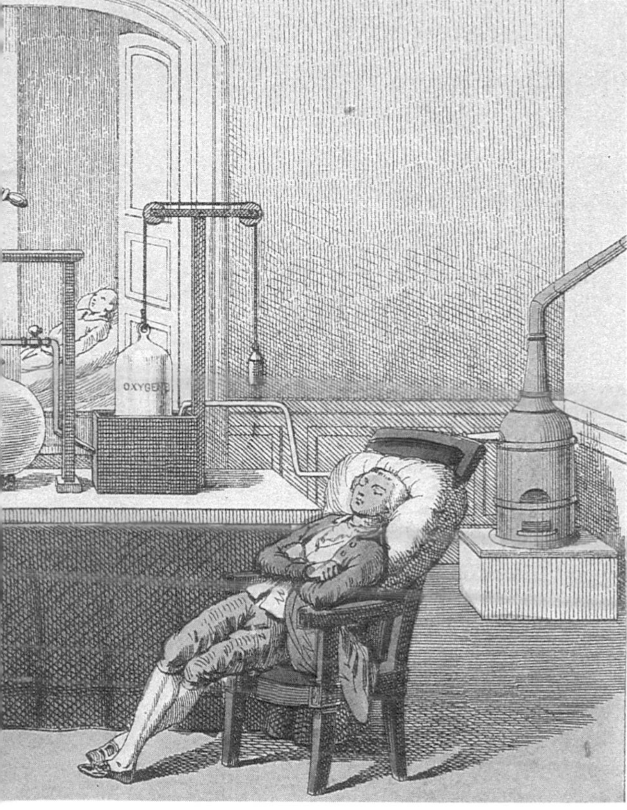

Avant que Lavoisier (1743-1794) ne donne forme décisive à la chimie (ci-contre une expérience sur la respiration), Rousseau et Dupin de Francueil se mettent «à barbouiller du papier tant bien que mal sur cette science dont [ils possédaient] à peine les éléments» (*Les Confessions*, livre VII). Nul doute que Rousseau, davantage que Dupin de Francueil (ci-dessus), qui aspirait à l'Académie des sciences, avait dû lire, dans le jeu de la matière, les enjeux de la vie.

«Tandis que j'engraissais à Chenonceaux, ma pauvre Thérèse engraissait à Paris d'une autre manière, et quand j'y revins je trouvai l'ouvrage que j'avais mis sur le métier plus avancé que je ne l'avais cru»

Cet enfant est porté, comme cela se pratique si souvent en ce milieu du XVIIIe siècle, aux Enfants-Trouvés. Pour le moment, Jean-Jacques n'en éprouve ni regret, ni remords. En fait, à Paris, d'autres tâches l'attendent. Diderot, qui a en charge l'*Encyclopédie* depuis octobre 1747, lui propose de rédiger tous les articles concernant la musique. Rousseau est présenté à Mme d'Epinay, maîtresse de Dupin de Francueil et épouse de Denis Lalive d'Epinay. La vie, dans ce milieu, est à la fois éclairée et dissolue : on se pique d'idées neuves et de propos vifs, les sentences pleuvent au gré des questions que l'on agite avec autant d'enthousiasme que d'irrésolution. Rousseau se laisse séduire par ces jeux de société que la gravité de son esprit, néanmoins, abhorre.

Le ressentiment grandit : il a pour femme la pauvre Thérèse; les dames et les hautes figures du pouvoir se jouent de lui, l'intérêt qu'on lui porte est à la mesure des tâches qu'on lui propose : jamais plus qu'une modeste responsabilité ne couvrant que les besognes dont les autres se déchargent.

Le nombre considérable d'enfants abandonnés – en moyenne 5 800 par an, dans la seconde moitié du XVIIIe siècle – est significatif du désarroi qui gagnait les parents de toutes conditions (bourgeois, artisans, commerçants et ouvriers) à la venue d'un enfant. En tout état de cause, il s'agissait de demander à l'institution de suppléer à une éducation jugée impossible, quitte pour certains (bourgeois et petits-bourgeois) à reprendre ces enfants ultérieurement, s'ils avaient réussi à éviter la mort.

Diderot se fait connaître par des traductions – *Dictionnaire de médecine* de Robert James, *Essai sur le mérite et la vertu* de Shaftesbury – et une inlassable activité au service de l'*Encyclopédie*. Soucieux également des problèmes de morale, il se consacre avec passion à la philosophie. Depuis les *Pensées philosophiques* (1747) qui furent condamnées par le parlement de Paris jusqu'à la *Lettre sur les aveugles* que, par précaution, Diderot ne signa pas, mais dont on sut reconnaître l'auteur, il est l'objet de l'attention particulière des services de police. Dans la *Lettre sur les aveugles* – qui lui valut de séjourner cent quatre jours dans la prison de Vincennes (ci-contre) –, son empirisme le conduit à énoncer des thèses matérialistes qui n'impliquent guère l'existence de Dieu.

Son destin est du côté des opprimés!

Le 24 juillet 1749, son ami Diderot est enfermé à Vincennes, après la publication de la *Lettre sur les aveugles*. Rousseau accourt auprès de son frère d'âme. Comme lui, il s'est enrôlé dans le combat contre les faux pouvoirs. A ceux-ci, ils opposent les armes d'un nouveau savoir, jusqu'à la provocation. Rousseau est Diderot : l'homme est une idée, son idée. En le rencontrant, il embrasse l'homme et la figure de ce qu'il croit être son destin. Lors d'une de ses visites à Diderot, il lit dans *Le Mercure de France* une «Question proposée par l'académie de Dijon pour le prix de l'année suivante : si le progrès des sciences et des arts a contribué à corrompre ou à épurer les mœurs».

«A l'instant de cette lecture, je vis un autre univers et je devins un autre homme.» En proie à un délire de vérité, il rédige dans la hâte son *Discours sur les sciences et les arts*. Le réquisitoire est implacable. L'Histoire, dans son cours irréversible, est déchirée entre le mal dévorant de l'inégalité, qui mine et rejette le monde de la pauvreté, et l'opulence de ceux qui, arrogants dans leur suffisance de puissants, nourrissent leur pouvoir, en le masquant par le mensonge de l'Art et de la Science. L'Histoire est le processus de dissolution des relations humaines.

Pas un mot de ce texte qui n'échappe à la flamme de la passion. Plus crié que pensé, il n'évite pas les dérapages de la contradiction, de l'ellipse et de la rhétorique. Une figure de répulsion se profile au détour d'une des pages de ce texte : celle de Voltaire, que Rousseau appelle Arouet – nom que pourtant l'auteur du *Mondain* avait abandonné depuis 1718.

Il rappelle, non sans malice, que monsieur *de* Voltaire n'est en réalité que le masque d'un nom bourgeois. Par ce transfert patronymique, le jeu social de Voltaire se révèle dans sa part de luxe, de frivolité et de vile galanterie. Mais Rousseau n'a-t-il pas également à répondre de ces identifications symboliques par le nom? Après avoir joué de différentes identités, n'accole-t-il pas à présent le titre de citoyen de Genève à sa signature?

Le 9 juillet 1750, le *Discours sur les sciences et les arts* est primé puis, fin décembre, publié chez Parisot. «Il n'y a pas d'exemple d'un succès pareil», écrit Diderot. Le cercle de ses correspondants s'agrandit. Même s'il ne s'agit, en vérité, que de réfutation, le *Discours* est lu : on en parle.

Un jeune homme, Grimm, soutient Rousseau dans toutes ses entreprises. Ils se sont connus un an auparavant; ils font de la musique ensemble, et goûtent ensemble quelques heures de détente loin de Paris. Tout semble, avec les succès, confirmer Rousseau dans la voie de la reconnaissance.
M. de Francueil lui propose même un poste de caissier à ses bureaux de receveur général des Finances. Mais la réussite, comme les fortes émotions, appelle toujours la résurgence de ses maux – signe jamais démenti

Frédéric-Melchior Grimm (1723-1807), après avoir fait des études de droit public à l'université de Leipzig, arrive à Paris dès décembre 1748. Secrétaire du comte de Friesen, il est introduit rapidement dans les cercles littéraires et philosophiques de Paris. A partir de 1754, il rédige un journal – envoyé à toutes les cours européennes – dans lequel il tient la chronique littéraire et politique de la vie parisienne. Ce journal sera publié sous le nom de *Correspondance littéraire*.

qu'il est «né mourant». En maintes occasions, une «attaque de pierre» ou quelque infection liée à une rétention urinaire le rappelle à son corps souffrant. Finalement, Jean-Jacques prend congé de Mme Dupin et de son poste de caissier... il sera copiste de musique : le dur chemin de la pauvreté et de l'indépendance s'ouvre à lui.

Au XVIIIe siècle, le libraire est l'éditeur. Bravant les risques de la censure royale, il contribue, de façon décisive, à la diffusion des idées des Lumières.

Rousseau compose un opéra... et s'inquiète du succès qu'il remporte

En ces années, deux musiques s'opposent : la française et l'italienne. «Tout Paris se divisa en deux partis plus échauffés que s'il se fût agi d'une affaire d'Etat ou de religion. L'un plus puissant, plus nombreux, composé des grands, des riches et des femmes, soutenait la musique française; l'autre, plus vif, plus fier, plus enthousiaste, était composé de vrais connaisseurs, des gens à talents, des hommes de génie», écrit Rousseau.

Tout n'est que querelles et invectives. Rousseau ne peut supporter très longtemps cette agitation. Aussi cherche-t-il quelque repos loin de Paris, à Passy, chez son cousin Mussard. Il renoue avec la musique, non celle des combats et des étiquettes, mais la sienne : un opéra qu'il compose en quelques jours, *Le Devin du village*, dont il dira, au soir de sa vie, que «c'est ce que j'aime le mieux avoir fait». Très vite, lors des premières répétitions à l'Opéra, M. de Cury, intendant des Menus Plaisirs, demande que l'ouvrage soit présenté à la Cour. Jean-Jacques en est tourmenté : lui qui a connu tous les échecs comme musicien se voit soudainement aux portes de la consécration. Les répétitions à Fontainebleau se passent au mieux. Il n'ose venir à la représentation. Le roi et Mme de Pompadour y assistent! Comment se présenter devant eux, lui qui

LE DEVIN
DU VILLAGE
INTERMÈDE,
REPRÉSENTÉ A FONTAINEBLEAU
DEVANT LE ROY.
Les 18 & 24 Octobre 1752, & à PARIS,
PAR L'ACADÉMIE ROYALE
DE MUSIQUE,
Le Jeudy premier Mars 1753.

AUX DÉPENS DE L'ACADÉMIE.
M. DCC. LIII.
AVEC APPROBATION ET PRIVILEGE DU ROY.

Dans *Le Devin du village*, Colette – rôle créé par Mlle Fel (ci-contre) – chante son amour pour l'infidèle Colin. Une telle infortune l'incite à consulter un devin qui l'assure que Colin l'aime toujours et lui prodigue quelques conseils pour reconquérir l'amant volage. Finalement, Colette et Colin, de nouveau réunis, louent les pouvoirs du devin et les charmes de l'amour.

« Quant au *Devin*, quoique je sois bien sûr que personne ne sent mieux que moi les véritables beautés de cet ouvrage, je suis fort éloigné de voir ces beautés où le public engoué les place. »

Rousseau juge de Jean-Jacques

ne cesse de clamer au monde sa rancœur, son origine roturière, lui, enfin, le «persifleur» qui hait tous les conservatismes, privilèges et abus de pouvoir? Finalement, il s'y rend, non sans se faire prier, en s'affublant des attributs de la plèbe (grande barbe et perruque mal peignée) pour mieux signifier son originalité.

Dans *Le Devin du village*, il chante l'amour et la vertu de la femme aimante, vilipende la fatuité de l'homme, exalte les valeurs de la nature et rejette le mensonge fascinant de la ville. Une telle déclamation, loin d'être perçue comme un affront par ceux-là mêmes qui vivent de cette imposture, est accueillie avec enthousiasme. Les larmes coulent dans l'assistance. L'Art – en représentant l'impossible union de l'homme et de la femme dans le bruit des allées de la culture citadine – a dit le vrai dans l'espace du faux. Jean-Jacques est tout à son bonheur et à sa gloire. On l'adule. On le presse de se présenter au roi qui le mande. C'en est trop! L'ivresse de son bonheur ne peut se satisfaire de la gloire du moment. Il sera autre, jusqu'au mépris des marques royales de gratitude. Il refuse et retourne à l'obscurité de son métier de copiste.

Il se met en tête de faire représenter, en taisant son nom d'auteur, dans la mouvance du succès du *Devin,* son *Narcisse.* L'œuvre est jouée le 18 décembre 1752 au Français. Cette fois, l'échec de *Narcisse* le rassure tout autant que le triomphe du *Devin du village* l'avait inquiété. Il y voit la juste réponse à son *Discours sur les sciences et les arts.*

La voie est tracée. Toute fausseté sera châtiée. Les amis de Rousseau reprennent la querelle contre la musique française, l'alimentant de pamphlets d'une extrême violence, et somment amicalement Rousseau de condamner définitivement le parti pris esthétique et politique de celle-ci. Finalement, il s'en acquitte

La querelle qui oppose les tenants de la musique française à ceux de la musique italienne divise également la cour de Louis XV. Au «coin du Roi», favorable à la musique française, fait face le «coin de la Reine», partisan de la musique italienne. Le parti des philosophes (Diderot, d'Alembert, Grimm, Rousseau) se rangera du côté des Italiens.

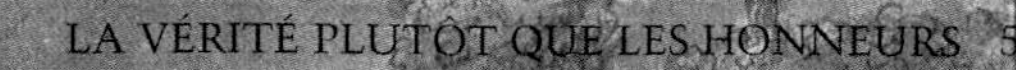

en publiant, en novembre 1753, la *Lettre sur la musique française*. Le ton est sans appel : «Les Français n'ont point de musique et n'en peuvent avoir, ou si jamais ils en ont une ce sera tant pis pour eux.»

Une telle prise de position, dans le climat passionné de l'époque, ne peut que susciter les plus vives critiques : le tohu-bohu est considérable. Rousseau n'en a cure, conscient qu'à présent toute affirmation de son être passe par l'expression immédiate de sa vérité.

«Quelle est l'origine de l'inégalité parmi les hommes et si elle est autorisée par la loi naturelle?»

Telle est la question mise au concours par l'académie de Dijon, en novembre 1753. On ne pouvait en trouver de meilleure : tout l'esprit philosophique et contestataire du siècle tendait à affronter ce problème. Depuis Pufendorf, Hobbes, Grotius, Locke, Buffon, Maupertuis et Condillac jusqu'aux encyclopédistes, tous se sont penchés sur la légitimité de l'inégalité et des différences que les hommes reconnaissent dans leur pratique sociale. Or, si d'aucuns voyaient la loi de cette différence – voire de l'inégalité – dans la nature, et la rendaient donc irréductible dans le champ social, Rousseau, reconnaissant l'espace de la nature comme perdu, n'accepte pas qu'il soit la loi du devenir social. La différence naturelle des hommes n'est pas pertinente pour comprendre leur inégalité de

Au XVIIIe siècle, le sauvage est à l'honneur. Traités philosophiques, romans, pièces de théâtre et récits de voyage ne cessent de le représenter. Cette référence constante permet d'interroger les origines de l'homme social et de mesurer les progrès ou les régressions que l'histoire a mis en œuvre. Montesquieu, Voltaire et Diderot utiliseront le regard «ingénu» du sauvage pour dénoncer les vices de notre civilisation.

DISCOURS

SUR L'ORIGINE ET LES FONDEMENS
DE L'INEGALITE PARMI LES HOMMES.

Par JEAN JAQUES ROUSSEAU

CITOYEN DE GENÈVE.

Non in depravatis, ſed in his quæ bene ſecundum naturam ſe habent, conſiderandum eſt quid ſit naturale. ARISTOT. Politic. L. 2.

A AMSTERDAM,
Chez MARC MICHEL REY.
MDCCLV.

condition sociale : cette dernière est tout entière dans le cours de l'Histoire. Cet ouvrage, *Discours sur l'origine et les fondements de l'inégalité parmi les hommes*, dont Rousseau sent tout de suite l'importance, lui permet de renouer avec les valeurs morales, civiques et républicaines de son enfance. C'est un acte de naissance; il le dédie à la république de Genève et réaffirme son titre : citoyen de Genève.

Buffon (1707-1788), botaniste et philosophe, laisse une œuvre considérable (entre autres une *Histoire naturelle, générale et particulière)*. Loin des dogmes, il retrace l'histoire de l'univers. Rousseau, lecteur de l'*Histoire naturelle*, saura s'en inspirer dans son deuxième *Discours*.

Rousseau retrouve sa patrie et mène la vie qu'il aime : simple et studieuse

Il s'installe près de Genève, à Eaux-Vives, où il abjure le catholicisme et obtient sa réintégration dans l'Eglise de Genève. La ville lui paraît embellie : «Une des plus charmantes du monde et ses habitants les hommes les plus sages et les plus heureux que je connaisse.» Il retrouve son enfance : on le reconnaît et il jouit de la gloire retenue que lui prodiguent les hommes simples de Genève. Rousseau n'oublie pas pour autant ses devoirs à l'égard de ses amis.

Diderot lui avait demandé un article sur l'économie politique pour l'*Encyclopédie* : il se met au travail dès l'été 1754 et approfondit les thèmes déjà esquissés dans le second *Discours*, tels que les idées de souveraineté, de gouvernement et la notion de volonté générale – tout entière centrée sur l'idée de vertu. Il propose un modèle d'économie fondé, en grande partie, sur l'agriculture et le rejet de l'industrie et du commerce, lesquels engendrent un transfert de l'argent dans les villes, constituant les conditions du luxe, du vice et de l'oisiveté.

“ Arrivé [à Genève] je me livrai à l'enthousiasme républicain qui m'y avait amené [...]. Fêté, caressé dans tous les états, je me livrai tout entier au zèle patriotique... ”
Les Confessions, livre VIII

“ Je compris que cet homme [Voltaire, ci-contre] y ferait révolution, que j'irais retrouver dans la patrie le ton, les airs, les mœurs qui me chassaient de Paris [...]. Dès lors je tins Genève perdue et je ne me trompai pas. Mais qu'eussé-je fait seul, timide et parlant très mal, contre un homme arrogant, opulent, étayé du crédit des Grands...? ”
Les Confessions, livre VIII

Voltaire ridiculise les idées de Rousseau

Revenu à Paris en octobre 1754, il se soucie de faire publier son *Discours*. Rey, un de ses compatriotes, libraire à Amsterdam, consent à le publier. Rousseau n'est pas sans crainte. Il ne sait comment seront reçues ses idées, notamment par ceux à qui elles sont adressées : les pairs de la patrie genevoise. Faisant fi de tous ses atermoiements, il publie son livre sans l'imprimatur de Genève. La ville le reçoit sans excès de chaleur; Jean-Jacques s'en émeut.

Voltaire, nouveau résident genevois, lui envoie une lettre pleine d'acrimonie et de sarcasmes : «J'ai reçu, Monsieur, votre nouveau livre contre le genre humain. [...] On n'a jamais tant employé d'esprit à vouloir nous rendre bêtes. Il prend envie de marcher à quatre pattes quand on lit votre ouvrage. [...] Je me borne à être un sauvage paisible dans la solitude que j'ai choisie auprès de votre patrie où vous devriez être.» Il trace en quelques pointes acerbes le portrait que Rousseau aura tant de mal à corriger auprès de ses contemporains. Voltaire parle, à son propos, de misanthrope, de cynique. Voltaire joue de la trouble

identification de Rousseau à son endroit; il insiste avec le peu de mesure que lui donne sa position d'esprit assuré de sa reconnaissance.

Finalement, Rousseau ne prend pas en trop mauvaise part l'avis de Voltaire : il lui répond respectueusement pour se défendre contre ses objections malveillantes et l'implore de continuer dans une voie plus droite le travail d'instruction auprès du «vulgaire».

Voltaire a écrit à Rousseau le 30 août 1755. Rousseau lui répond le 7 septembre. Une telle hâte trahit une considération dont Voltaire saura jouer aux dépens de Rousseau.

C'est à moi, Monsieur, de vo
vous offrant l'ébauche de mes tristes
faire un présent digne de vous, ma
rendre un hommage que nous vou
Sensible, d'ailleurs, à l'honneur que
partage la reconnoissance de mes

Genève l'ignore et Paris l'irrite

Les visites de ses amis se font de plus en plus espacées; les uns et les autres ne savent plus très bien qui est Rousseau. Dans le désir de les voir auprès de lui tout en leur prêtant les plus sombres desseins à son égard, il s'inquiète de tout, notamment de leur impatience à le voir quitter Thérèse. Bien qu'il s'agisse là d'une «conspiration amicale contre ce bizarre assemblage», au dire de d'Holbach, Jean-Jacques en conçoit quelque ombrage. Grimm s'éloigne de plus en plus; les autres, sans l'affirmer ouvertement, prêtent une oreille complaisante aux critiques que le *Discours* ne manque pas de susciter.

La voie ouverte par Rousseau en matière philosophique est trop radicale : elle s'avère pour les uns et les autres trop contraignante et ne peut déboucher que sur une impasse. On excuse ses excès, mais on ne les partage pas : il est de plus en plus seul.

Ami de longue date de Rousseau, M. de Gauffecourt l'accompagne avec Thérèse en Suisse. Pour le plaisir de la marche, il quitte quelquefois le «carrosse bourgeois». Seul avec Thérèse, l'«ami» se livre à des «manœuvres plus dignes d'un satyre et d'un bouc que d'un honnête homme». Elle se défend, Rousseau s'indigne : «Douce et sainte illusion de l'amitié, Gauffecourt leva le premier ton voile à mes yeux. Que de mains cruelles l'ont empêché depuis lors de retomber!» *(Les Confessions,* livre VIII)

Mme d'Epinay – à présent maîtresse de Grimm – tente de le distraire, de l'adoucir, le convie à moins d'intransigeance, le flatte par la demande de conseils, mais rien n'y fait. Jean-Jacques s'enferme dans sa sombre et douloureuse solitude. Tout l'irrite : la suffisance de ses amis, leur promptitude à accepter les compromis, le ton sectaire de leur entreprise : autant de qualités ou de défauts contradictoires qui invalident leur capacité à dire la vérité. Il leur reproche violemment leur manque de respect à l'égard de Dieu et leur mépris des hommes.

« Plus j'examinais cette charmante retraite [l'Ermitage], plus je la sentais faite pour moi. Ce lieu solitaire plutôt que sauvage me transportait en idée au bout du monde. Il avait de ces beautés touchantes qu'on ne trouve guère auprès des villes. » (*Les Confessions*, livre IX).

Dans ces coquetteries d'hommes de lettres, il voit les perfidies d'une coterie aussi prégnante que futile. C'en est trop pour lui ! Paris est devenu impossible : «Ma patrie ou la campagne, voilà ce qu'il me faut.» Rousseau accepte l'invitation de Mme d'Epinay à Montmorency. Il s'y rend avec Thérèse et son chat. «Adieu donc Paris, ville célèbre, ville de bruit, de fumée et de boue, où les femmes ne croient plus à l'honneur ni les hommes à la vertu. Adieu Paris, nous cherchons l'amour, le bonheur, l'innocence ; nous ne serons jamais assez loin de toi.»

Madame d'Epinay (1726-1783) était au centre de la vie intellectuelle de Paris. En 1756, comme le note E. Badinter, «grâce à l'amour de Grimm et aux encouragements qu'il ne cessait de lui prodiguer, elle livra sa bataille pour [son] émancipation sur le terrain de l'écriture. En racontant l'histoire de son double, Emilie de Montbrillant, [elle] entreprit un plaidoyer *pro domo* qui devait à la fois la justifier aux yeux du public et la libérer de son passé.»

« Je viens de courir les bois à la rosée et j'ai l'onglée », écrit-il à Mme d'Epinay. A l'Ermitage, il redécouvre les délicieuses âpretés de la vie campagnarde. En cet endroit « solitaire plutôt que sauvage », Jean-Jacques, délivré de « toute approbation pour vivre », prend conscience de ce qu'il avait perdu dans la fureur de Paris : la nécessité de la retraite au plus près de la nature.

CHAPITRE III
LA DISTANCE

A Montmorency, Rousseau entame ses années de travail les plus fécondes. Vivre à l'écart, loin des ombres, offert à la lumière, telles sont les conditions qui permettent à la pensée de se libérer. Le succès le soucie peu, il ne sera pas « un barbouilleur de papier », mais un « auteur », assuré qu'on ne pense pas « noblement quand on ne pense que pour vivre ».

L'après-midi – les matinées étant réservées à la copie –, muni de son carnet pour consigner ses pensées de plein air *(sub dio)*, Rousseau parcourt la campagne. La méditation y est plus aisée. Il peut enfin écrire ce que, pour ne point déplaire, il avait si longtemps tu, notamment à propos de Dieu.

Contre une certaine impuissance de la raison...

Balancé entre les erreurs et le doute, les «systèmes sans preuve et les objections sans réplique» que la raison délivre, Rousseau s'en remet à l'idée que tout est «l'ouvrage d'un Etre puissant, directeur de toutes choses».

En 1756, paraissent les poèmes *Sur le désastre de Lisbonne* et *Sur la loi naturelle* de Voltaire. Cette fois, Jean-Jacques se sent en mesure de lui répondre d'égal à égal. S'il consent au second poème, il refuse, en revanche, le désespoir du premier. Après le tremblement de terre meurtrier de Lisbonne (1755), Voltaire n'admettait plus que l'on pût encore se référer à la Providence. A la suffisance dogmatique du principe il opposait la force irréductible du fait. Il rassemblait dans une même critique tous ceux – Pope et Leibniz – qui lui semblaient participer d'un optimisme doctrinal sans raison. Rousseau s'en irrite et refuse la conjonction illégitime d'une idée et d'un fait. La véritable question philosophique doit être posée différemment. Elle est double : ne doit-on pas accepter, jusque dans le mal, la responsabilité et la liberté de l'homme et ne préfère-t-on pas notre existence, fût-elle malheureuse, plutôt que le néant?

... Rousseau se fait le «champion de Dieu»

Mais l'incertitude quant à la légitimité de ses idées impose que l'on opte pour «un code moral ou une espèce de profession de foi civile dans chaque Etat» propre à éloigner de la cité tout fanatisme et toute intolérance en pareille matière. Cette réponse clôt sa rupture avec les pourfendeurs de Dieu.

Dans la solitude de l'Ermitage, Rousseau reçoit quelques visites : celles de son hôte, Mme d'Epinay, et parfois, mais pas autant que Jean-Jacques le souhaiterait, celles de Diderot. Il sent que son départ

En cette année 1756, Mme d'Epinay veille avec sollicitude sur Rousseau, qu'elle appelle «mon ours». L'Ermitage, qu'elle lui prête, est «une petite maison presque entièrement neuve fort bien distribuée». «Mon ours, voilà votre asile; c'est vous qui l'avez choisi, c'est l'amitié qui vous l'offre; j'espère qu'elle vous ôtera la cruelle idée de vous éloigner de moi.»

« J'avais une demeure isolée dans une solitude charmante; maître chez moi j'y pouvais vivre à ma mode sans que personne eut à m'y contrôler : mais cette habitation m'imposait des devoirs, doux à remplir, mais indispensables. Toute ma liberté n'était que précaire; plus asservi par des ordres, je devais l'être par ma volonté. »

Les Confessions, livre IX

de Paris a marqué une distance avec ses amis. Mais cette solitude est nécessaire au travail de la pensée. Se faire le «champion de Dieu» implique qu'en toutes choses la pensée opère un renversement, non vers un irrationalisme où s'égarent avec complaisance les habiles et les ignorants, mais vers une rationalité où la lumière de l'esprit affirme ses limites.

«La Nouvelle Héloïse» : une des plus belles allégories de l'amour... et un grand succès de librairie

Expliciter, révéler l'homme pour enfin le penser, en postuler la condition pour comprendre ce que l'on peut exiger de lui : telles sont les raisons qui conduisent Rousseau à élaborer une fiction – à défaut

Depuis le XIIe siècle, la passion amoureuse entre Héloïse et Abélard ne cesse de faire référence. Tout y est dit : l'amour sublimé par le sacrifice, le langage comme obstacle et, néanmoins, la lettre comme ultime preuve d'amour...

d'une philosophie – propre à réconcilier le désordre de ses pensées et l'exigence de sa morale, mettant en jeu des personnages que leurs relations mutuelles révèlent. Ce sera, malgré ses résolutions, un roman : *la Nouvelle Héloïse*. Rousseau y travaille dès le printemps 1756. «Mon grand embarras était la honte de me démentir ainsi moi-même si nettement et si hautement. Après les principes sévères que je venais d'établir [...], pouvait-on rien imaginer de plus inattendu, de plus choquant, que de me voir tout d'un coup m'inscrire de ma propre main parmi les auteurs de ces livres que j'avais si durement censurés?»

Ce roman est le manifeste de la distance. Distance par le jeu des lettres (relation différée de ce dont elles sont l'expression) que les protagonistes s'envoient et qui représentent la matière du texte; distance également entre des êtres qui se croient dans l'intimité de l'amour.

Les amants (Julie et Saint-Preux) ne cessent d'évaluer la qualité de leur passion. Ils consentent à toutes les épreuves pour en mesurer l'étendue. Ils s'aiment mais ne trouvent aucune quiétude dans cette tension amoureuse.

Pendant cinq années, Rousseau travaille avec acharnement sur ce recueil de lettres, en ajoute, en retranche. Il compose et recompose une trame dont il ne parvient pas immédiatement à trouver le dénouement.

Cette histoire ne pouvait que surprendre les lecteurs du XVIIIe siècle. Rousseau se défend d'aller dans le sens du discours vulgaire sur l'amour. Quitte à ne pas être entendu, il substitue aux habituelles transpositions mensongères sur les sentiments le véritable discours de l'amour. Il ne veut pas peindre l'horreur ni la tragédie et fait le pari de l'absence de haine, là où les passions sont les plus vives. Son livre est un ouvrage de combat : contre ceux qui croient briller en cristallisant les sentiments supposés de personnages exemplaires en des formules qui ressortissent davantage au philosophe qu'à la nature. Jean-Jacques vise ceux qui n'écoutent que leur cœur; c'est à eux que ce livre est destiné : ils sauront reconnaître la voix de la nature.

A défaut de pouvoir se réaliser, l'amour sera écrit. Les lettres suppléent à cette réalité absente. Mais n'y-a-t-il pas un paradoxe de plus, dès lors que l'on sait, par Rousseau, que «l'écriture, qui semble devoir fixer la pensée est précisément ce qui l'altère; elle n'en change pas les mots mais le génie et que l'on rend ses sentiments quand on parle et ses idées quand on écrit»?

Histoire à rebondissements...

De l'aveu amoureux et du premier baiser entre Julie et Saint-Preux jusqu'au départ de Saint-Preux, du soufflet de son père jusqu'à la mort de Julie, tout, dans *La Nouvelle Héloïse*, concourt, par une suite ininterrompue de rebondissements et de paradoxes à soutenir une véritable gageure dans ce siècle de frivolité amoureuse : exalter l'amour pur. Dès sa publication, début 1761, *La Nouvelle Héloïse* sera un succès, au point qu'un de ses éditeur affirmera avoir gagné en un an 10 000 livres. Jusqu'en 1800, il y aura soixante-douze éditions et contrefaçons. De partout, on écrit à Rousseau pour lui faire part de son émotion. Telle (princesse de Talmont) ne peut s'arracher du récit des aventures tumultueuses des amants au point d'oublier toutes ses obligations mondaines, tel ne peut – tant l'idée est insupportable –, lire la dernière lettre de M. de Wolmar à Saint-Preux l'informant de l'agonie de Julie. Comme l'écrit, en février 1761, La Condamine : «Tout Paris pour Saint-Preux a les yeux de Julie.»

JULIA

...et quête de l'Absolu

L'amour de Julie et de Saint-Preux rappelle celui que la littérature des siècles précédents n'a cessé de chanter. Il y a de l'amour courtois, précieux et tragique dans *La Nouvelle Héloïse*. On y rencontre, entre autres, les troubadours, Honoré d'Urfé et Corneille. A chaque fois, c'est la passion dans ce qu'elle porte de sublime qui est éclairée; en dehors de toute implication charnelle, elle vit dans la profondeur de son éclat. Pour admettre que Julie meure dans l'allégresse, il faut accepter que les sentiments amoureux ne peuvent avoir forme vulgaire ou comprendre qu'ils se rattachent à la foi chrétienne de Julie dont l'allégresse, comme l'écrit B. Gagnebin, «est suscitée par un élan de l'être vers l'Absolu, l'infinie source du bonheur parfait dont la terre ne lui a fourni qu'une pâle ébauche, vers cet "autre monde" où [elle] connaîtra enfin le seul amour qui vaille d'être désiré, celui que donne "l'Etre existant par lui-même".» A moins que la religion ne soit ici le dernier rempart pour ne pas comprendre que l'amour est impossible...

En 1754, quatre volumes de l'«Encyclopédie» sont publiés. Rousseau, lui, se brouille avec Diderot

Certains articles – notamment ceux signés par ses amis – ne peuvent que l'irriter : ainsi les Cyniques et les Cyrénaïques de Diderot. Mais Jean-Jacques est prêt à accepter beaucoup de ses amis si, toutefois, ceux-ci viennent lui rendre visite. Pour tout dire, ils ne se pressent guère du côté de l'Ermitage.

Le malentendu avec Diderot s'envenime en mars 1757 lors de la publication du *Fils naturel*. Dans cette pièce, il y a «une maxime très louche», qui blesse particulièrement Rousseau : «J'en appelle à votre cœur : interrogez-le et il vous dira que l'homme de bien est dans la société, et qu'il n'y a que le méchant qui soit seul.» Rousseau conjure Diderot de se rétracter, l'invite pour en parler. Mais celui-ci, dégagé et peu soucieux d'entrer dans une polémique avec cet homme au caractère ombrageux, lui rétorque avec légèreté et irritation : «Vous n'êtes pas de mon avis sur les ermites. Dites-en tant de bien qu'il vous plaira, vous serez le seul au monde dont j'en penserai, encore y aurait-il à dire là-dessus si l'on pouvait vous parler sans vous fâcher [...]. Adieu, le citoyen! C'est pourtant un citoyen bien singulier qu'un ermite.» La brouille et l'incompréhension entre les deux hommes sont à leur comble. Pourtant, par une fascination mutuelle et inavouée, chacun tient encore à l'autre...

«Elle était à cheval et en homme. Quoique je n'aime guère ces sortes de mascarades, je fus pris à l'air romanesque de celui-là, et, pour la première fois, ce fut l'amour»

Il s'agit de Mme d'Houdetot, belle-sœur de Mme d'Epinay. En ce printemps 1757, son mari et son amant (Saint-Lambert) sont à la guerre. Jean-Jacques est séduit par cette femme à la beauté si timide et aux charmes si doux. Elle est enjouée et discrète. Perdu dans sa solitude, lassé des rengaines domestiques avec Thérèse et sa famille, obnubilé par la rédaction de *La Nouvelle Héloïse*, il est conquis.

Il lui rend visite à Eaubonne où son mari l'avait installée. Elle le convie à dîner, lui annonce qu'elle sera seule. Jean-Jacques s'empresse d'accepter.

« On a vu dans tout le cours de ma vie que mon cœur transparent comme le cristal n'a jamais su cacher durant une minute entière un sentiment un peu vif qui s'y fut réfugié. Qu'on juge s'il me fut possible de cacher longtemps mon amour pour Mme d'Houdetot. Notre intimité frappait tous les yeux, nous n'y mettions ni secret ni mystère. »

Les Confessions, livre IX

Il l'appelle Sophie et lui avoue son amour. Elle ne semble guère s'en offusquer, sans toutefois se donner totalement. Ils se rencontrent ici et là; l'entourage commence à jaser. Mme d'Epinay voue alors quelque jalousie à Sophie.

Lorsque Saint-Lambert revient pour quelque

De Mme d'Houdetot, Mme d'Epinay dira : «Elle a l'esprit et le cœur excellents. Sa tête pourra lui faire faire plus d'une faute. Elle est légère, mais elle est constante. Elle est légère en ce que le plaisir et la peine ne laissent guère de traces chez elle : tout s'efface avec autant de promptitude qu'elle sent vivement dans le premier instant. Elle est aussi essentielle en amitié que tendre en amour.»

temps à Paris, Jean-Jacques et Sophie mesurent l'étendue de leur «égarement». Elle préfère prendre quelque distance; il le sent et en souffre. «Depuis que tu me rebutes, je suis le dernier des mortels : j'ai perdu le sens, l'esprit et le courage; d'un mot, tu m'as tout ôté.»

Saint-Lambert apprend par Grimm la liaison de sa maîtresse et de Rousseau. Ce dernier, sur les conseils de Diderot, lui écrit une lettre, s'inquiète de sa santé et se présente comme conseiller et ami, sans pour autant lui avouer son amour pour Mme d'Houdetot. Il consent seulement à accepter d'être «presque devenu le complice» de la passion de Saint-Lambert et de sa maîtresse. La langue de Rousseau a des richesses surprenantes... Saint-Lambert lui répond en se défendant de l'avoir considéré comme «perfide et traître». Jean-Jacques, ému par cette compréhension

Au rebours de *La Nouvelle Héloïse,* où les amants éprouvent leur amour dans la distance revendiquée, Rousseau semble avoir été la proie d'une passion qu'il n'a en rien maîtrisée. Le fossé entre la fiction et le réel se creuse pour ne laisser que des êtres agités par des fureurs si humaines : ici Jean-Jacques, un homme fou d'amour mais délaissé, et là Sophie, une femme aux charmes que tout homme se plaît à conquérir.

et se sentant coupable d'avoir trompé un être à l'âme aussi généreuse, lui envoie une nouvelle lettre : «Oui, mes enfants, soyez à jamais unis : il n'est plus d'âmes comme les vôtres et vous méritez de vous aimer jusqu'au tombeau. Il m'est doux d'être en tiers dans une amitié si tendre.»

Avec cet amour malheureux, Jean-Jacques perd pied

Il est éprouvé. Ses amis intriguent. Grimm se veut important auprès de lui : il n'est qu'un importun. «Il me regardait comme nul», dit Rousseau à son propos.

Avec l'*Encyclopédie*, Diderot a d'autres soucis et semble agacé par les histoires du pensionnaire de Mme d'Epinay. Après un différend avec son hôtesse, en grande partie tramé par ses «amis», chacun invite Rousseau à quitter l'Ermitage. Il est de nouveau obligé de se justifier. De guerre lasse, le 15 décembre, Jean-Jacques et Thérèse abandonnent l'Ermitage pour s'installer dans les environs, à Montlouis, dans une maison en ruine qu'il louent à M. Mathas.

Désormais, Rousseau est quitte avec tous; il va pouvoir se consacrer à *La Nouvelle Héloïse* et écrire, en marge de cette odyssée d'amour, quelques lettres philosophiques et morales à Sophie. Ces *Lettres morales* n'ont pas la prétention de formuler des préceptes moraux, mais seulement d'offrir des conseils. Sophie ne les lira jamais. Jean-Jacques ne les expédiera pas.

A Montmorency, Rousseau a tout loisir de comprendre les visées de la propriétaire de ces lieux : «Les femmes ont tout l'art de cacher leur fureur, surtout quand elle est vive. Mme d'Epinay, violente mais réfléchie, possède surtout cet art éminemment. Elle feignit de ne rien voir, de ne rien soupçonner, et dans le même temps qu'elle redoublait avec moi d'attention, de soins, et presque d'agaceries, elle affectait d'accabler sa belle-sœur [Sophie] de procédés malhonnêtes et de marques de dédain qu'elle semblait vouloir me communiquer. On juge bien qu'elle ne réussissait pas; mais j'étais au supplice!»
(Les Confessions, livre IX)

Rousseau paraît bien seul et perdu dans ce tableau de Lemmonier. Ses amis le délaissent et ses idées irritent. Peu se soucient de vouloir l'entendre, sauf quelques-uns, comme, peut-être, dans ce salon de Mme Geoffrin, ce monsieur au cornet dont on se demande s'il tente d'écouter un orateur absent à nos yeux ou de percevoir la voix intérieure de Rousseau. Dans le même temps, les encyclopédistes tonnent pour se faire entendre contre les attaques du parti des dévots.

Rousseau s'oppose à d'Alembert

A Paris, la situation est troublée : on bataille ferme autour de l'*Encyclopédie*. D'Alembert, qui ne supporte plus ces attaques, écrit un article : «Genève», où l'on décèle une critique de la monarchie française et un éloge des pasteurs genevoix.

A Montmorency, l'hiver est rude. La trahison de ses amis lui coûte. Seule Thérèse lui est fidèle. Jean-Jacques, malade, lui lègue, au cas où il viendrait à disparaître, tous ses biens. Peu au fait de la polémique parisienne, il n'apprécie guère l'article de d'Alembert. Aussi rédige-t-il promptement une réponse. Tout en reconnaissant à d'Alembert du

talent et du génie, il critique son analyse de la religion des pasteurs genevois et réfute son désir d'installer des théâtres à Genève. C'est la *Lettre sur les spectacles*, où Rousseau s'attaque au théâtre-spectacle en montrant que la logique d'un tel théâtre est l'amusement propre à masquer les raisons d'un divertissement si nécessaire aux yeux de certains. Or tout désir d'amusement suppose que l'on plaise et qu'aucun moyen ne soit interdit en vue de cet objectif; d'où la tendance malheureuse du théâtre de son époque à flatter les «penchants des hommes».

Bien qu'il ait rêvé de gloire théâtrale, Rousseau, très vite, va dénoncer le théâtre comme activité essentiellement mondaine et pourvoyeuse de vices. De fait, les théâtres au XVIIIe siècle étaient en grande partie livrés au plaisir des publics. La haute société et celle du «parterre» venaient se divertir. Les comédiens étaient mis au ban de la société respectable, notamment par l'Eglise. Le sort des comédiennes était pire encore. A part quelques grands noms, elles étaient considérées comme des courtisanes dont semblaient raffoler la noblesse et le monde de la finance.

La *Lettre sur les spectacles* connaît un succès considérable. On lui écrit de partout. Grimm relève trois cents réponses. A Genève, les avis sont plus nuancés : du texte, on apprécie l'esprit, mais on se méfie de la lettre. Rousseau, pourtant, ne participe qu'à distance aux remous que sa *Lettre* provoque : il est loin de Paris.

A Montmorency, il a trouvé de nouveaux amis, plus modestes, moins dupes des agitations de la capitale. M. le maréchal duc de Luxembourg, qui réside non loin de chez lui, s'empresse de le mander.

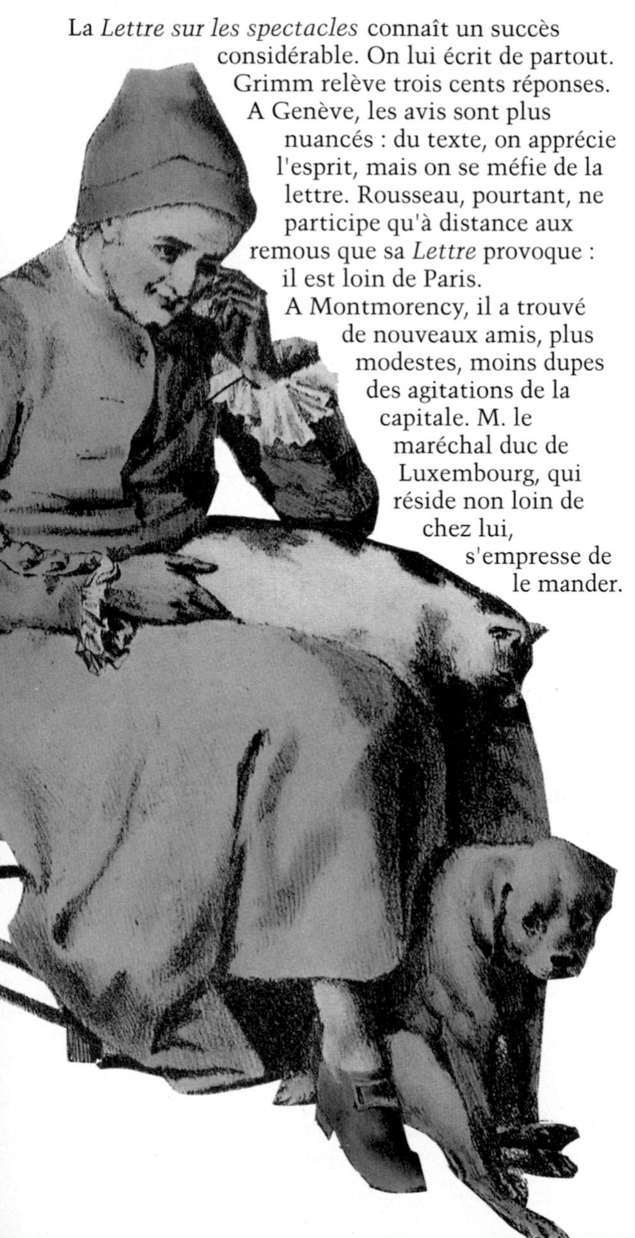

Sur ce dessin de Jean Houel, Rousseau semble avoir atteint la grave sérénité de l'homme détaché de toutes les vanités du luxe. Il est peu d'hommes de lettres que l'on ait pu représenter ainsi au XVIIIe siècle dans une maison dont on devine que seul l'indispensable suffit à l'habiter : des ustensiles de cuisine, des livres, une bougie, une table, quelques vêtements chauds de facture fort modeste et deux animaux chers au cœur de Rousseau – le chien Duc et la chatte Doyenne. Pour ses animaux, Rousseau fit toujours preuve de la plus grande prévenance. Il disait de Duc qu'il méritait mieux le titre de compagnon «que la plupart de ceux qui l'ont pris».

Jean-Jacques, peu désireux d'être traité en «domestique», n'accourt pas immédiatement. On insiste. M. de Luxembourg lui rend visite dans sa demeure délabrée de Montlouis. Flatté et obligé, Jean-Jacques se promet d'aller faire sa «cour à Mme la maréchale» et M. de Luxembourg propose de faire réparer la maison, le priant d'accepter, pendant les travaux, un logement au petit château de Montmorency.

Cette année 1758 se termine de la meilleure des façons. A l'hostilité a succédé la sollicitude d'amis prévenants. Jean-Jacques jouit d'une grande tranquillité dans une maison enfin à sa mesure – Montlouis rénové –, ouverte, claire et propice à la méditation. Paris n'a plus grand sens pour lui, même s'il accepte, de temps en temps, d'y loger, dans l'hôtel de M. et Mme de Luxembourg – à la seule condition, dit-il, de passer par la «petite porte». Seuls demeurent son travail, ses promenades, ses visites et la toujours présente Thérèse.

Thérèse est partie prenante de ce refus de ne point dilapider son énergie à courir après la richesse des autres. Elle ne paye pas de mine, mais son port est élégant. Les multiples grossesses, la pauvreté et les travaux ménagers l'ont prématurément vieillie. Le «regard vif et doux» d'antan est devenu certainement plus lourd. Néanmoins, elle saura tenir son rang de compagne d'un grand homme lorsqu'il s'agira de protéger Jean-Jacques ou de recevoir amis et solliciteurs qui n'auront pas tous pour elle les égards que sa condition exigeait. «Le premier de mes besoins, le plus grand, le plus fort, le plus inextinguible, était tout entier dans mon cœur : c'était le besoin d'une société intime et aussi intime qu'elle pouvait l'être : c'était surtout pour cela qu'il me fallait une femme plutôt qu'un homme, une amie plutôt qu'un ami.» *(Les Confessions*, Livre IX)

J.J. ROUSSEAU.
SAGE
Social

En ce mois de juillet 1759, on se presse pour rencontrer Rousseau à Montmorency. L'amitié et l'hospitalité de M. et Mme de Luxembourg lui sont de précieuses garanties. Dans son «donjon», un petit cabinet de travail qui domine Paris, il travaille sans relâche. Il écrira là ses œuvres maîtresses, l'«Emile», «La Nouvelle Héloïse», «Le Contrat social».

CHAPITRE IV
LE PHILOSOPHE

Rousseau ne prise guère les philosophes, même s'il estime la philosophie. Il suffit de lire les œuvres qui ont marqué la période de Montmorency pour s'en convaincre. La réforme morale précédemment entreprise pour accorder sa vie et sa pensée est à présent prolongée par une réforme intellectuelle. L'image de Rousseau le sage est née; les cartes à jouer de la Révolution sauront en perpétuer le souvenir.

Le 15 novembre 1759, Malesherbes et Margency ouvrent à Jean-Jacques les colonnes du *Journal des savants*, à raison de deux articles par mois pour 800 livres d'honoraires. L'amitié d'hier, à présent fragile ou rompue, avec les hommes de l'*Encyclopédie* ne peut plus cacher la profonde réticence de Jean-Jacques à participer à une entreprise dont – sans rejeter totalement l'esprit politique initial – il exècre la lettre.

«Il faut donc parler : il faut que je désavoue ce que je n'approuve point, afin qu'on ne m'impute pas d'autres sentiments que les miens.» Ces sentiments ne le poussent pas dans la direction qu'on veut lui faire adopter. Rousseau est l'homme de la nature, de la conscience, et ses convictions sont trop fortes, trop étayées pour qu'il apprécie des plaisirs qui ne seraient plus de ses vœux.

On le veut homme de lettres : il sera homme de passion

Il reprend quelques projets laissés en souffrance; il poursuit notamment ses *Institutions politiques* (dont il tirera ultérieurement *Le Contrat social*) et revient à une question qui lui tient particulièrement à cœur : l'éducation.

Depuis quelque temps, on se plaît à le consulter en cette matière. Mmes d'Epinay, de Créqui, de

Depuis longtemps, Rousseau s'intéresse aux problèmes de l'éducation. N'a-t-il pas été précepteur, dès son séjour à Chambéry (1736-1737), puis à Lyon chez M. de Mably (1740) et, enfin, à Chenonceaux, chez Mme Dupin (1740)? Toutes ses lettres, ses lectures, la rédaction des *Mémoires* et *Projet sur l'éducation* (1740) prouvent son attachement à cette fonction. Ne serait-ce pas une revanche sur la vie, lui qui n'a pas connu sa mère, seulement des mères substitutives, dont le père a été si peu soucieux d'autorité? Comme s'il fallait, par cette entreprise, retrouver, pour protéger l'enfant contre toute dépravation, le regard naturel, pour lui absent, des parents sur l'enfant.

L'allaitement de l'enfant par la mère est encore chose peu ordinaire. Pourtant ce XVIIIe siècle marque un changement. Certes les paysannes nourrissent leurs enfants, mais il n'est pas rare qu'elles tiennent lieu de nourrice. Plus significatif pour comprendre cette période est le fait que quelques grandes dames se flattent d'allaiter. En rendant ostensible ce geste, elles manifestent le lien d'amour qui les lie à leur enfant. Dès le début de l'*Emile*, Rousseau insiste sur la nécessité de ne point suppléer «à la sollicitude maternelle». Par l'allaitement, autant la mère que l'enfant, l'une en n'aliénant pas ses droits, l'autre en recevant naturellement les premiers soins pour sa future éducation morale, renouent une relation que l'histoire a trop largement distendue.

Chenonceaux et d'autres femmes encore l'invitent à répondre à leurs questions sur l'éducation de leurs enfants. Ces sollicitations et son expérience de précepteur lui permettent de repenser le problème.

Toute pensée du politique est proprement insensée si l'on n'interroge pas les conditions morales de la préparation du citoyen à son entrée dans la société. Sans vertu, il n'y a pas de citoyen, sans citoyen vertueux, pas de liberté, et sans liberté pas de société juste et équitable. Mais le «tout politique» qu'inspire cette voie rencontre les plus sérieux obstacles. La réforme politique ne peut passer que par un projet global de révolution politique – auquel Jean-Jacques ne cesse de penser – rendant caduque toute entreprise de réforme individuelle. Seulement l'urgence d'une prise de position personnelle, d'un désir de bonheur et de liberté demeure présente, quelles que soient les contraintes sociales. Aussi faut-il opter pour un projet qui règle, au coup par coup, l'éducation de quelques-uns capables de détruire l'espace aliéné de la société. Tel sera l'enjeu de l'*Emile*, commencé en 1758 et achevé en 1762.

L'histoire de l'enfant commence par celle de sa «naturalité». Son développement doit être scrupuleusement observé et respecté

Toute brusquerie intempestive peut altérer une évolution dont chacune des étapes est un enjeu pour l'éducateur et l'enfant. Refuser cette temporalité conduirait à pervertir l'enfant.

Il s'agit de révéler en l'enfant la juste loi qu'il porte en lui. Quelque chose de ce qui s'affiche le plus communément dans la société pour être homme doit être dépassé et sacrifié afin d'atteindre un véritable espace de liberté. Tous les pouvoirs sont viciés, le politique comme le religieux. Il n'y a plus rien à attendre d'eux. Seules quelques personnes hors des institutions, comme ce nouvel éducateur, plus gouverneur et ami que précepteur, ou ce vicaire savoyard qui ouvre l'enfant à la proximité de Dieu

Plus tard, dans *Les Rêveries du promeneur solitaire*, Rousseau s'emploiera à confirmer l'image de l'homme aimant la compagnie des enfants.

par l'expérience de la conscience et de la liberté, représentent aujourd'hui le salut pédagogique. La meilleure aide est la plus proche, elle est celle de la vérité du sentiment et de la raison. Même Sophie – future épouse d'Emile – doit être soumise à cet impératif de la proximité, jusqu'à se nier pour concourir à la réussite de cet homme nouveau.

Mais à terme, une telle disposition conduit à faire de ses protagonistes de glorieux solitaires dont le superbe isolement ne tient qu'à la fragilité d'une heureuse union où tout obstacle est nié jusqu'au jour où cet isolement se brise devant les forces de la nature (la mort) et de la société (le mal de l'aliénation). C'est cet échec qu'il décrit dans un texte qu'il n'achèvera jamais, *Emile et Sophie ou les Solitaires*, mais dont on pressent l'imminence tout au long des cinq livres de l'*Emile*.

Deux lourds manuscrits – *La Nouvelle Héloïse* et l'*Emile* – occupent donc Jean-Jacques. Il les lit, à mesure qu'ils se construisent, à la maréchale de Luxembourg. Autour de lui tout est silence. Thérèse vaque aux tâches domestiques; Turc et Doyenne – ses chien et chatte – l'entourent d'une affection seulement animale.

L'*Emile* marque l'avènement de la nouvelle famille. Beaucoup de femmes semblent convaincues du bien-fondé des préceptes de Rousseau (Mme d'Epinay, Mme Roland). Des groupes de mères se constituent pour élever leurs enfants «à la Jean-Jacques». Les nouveaux parents s'affichent; ainsi ce négociant bordelais Boyer-Fonfrède et son épouse assistant à la leçon de labourage avec leur fils dans le rôle d'Emile. On quitte des siècles d'indifférence maternelle pour entrer dans une ère où la mauvaise mère est pointée comme celle qui refuse d'aimer ce que la nature lui requiert de donner au monde.

Rousseau met en scène chacune des étapes éducatives dans des tableaux romancés où le récit se fait aussi incisif qu'illustratif. Sur ce point d'ailleurs, la tradition ne s'est guère trompée. Innombrables sont les tableaux, images, vignettes et gravures qui représentent les moments les plus signifiants de l'éducation reçue par Emile : apprentissage des sens, des émotions, de la conscience, de la pensée, de la morale, des métiers, du mariage, etc. Ci-contre : «Peu à peu je l'accoutume à des masques moins agréables, et enfin à des figures hideuses.» Page de droite : «J'ajoute de part et d'autre des poids, tantôt égaux, tantôt inégaux.»

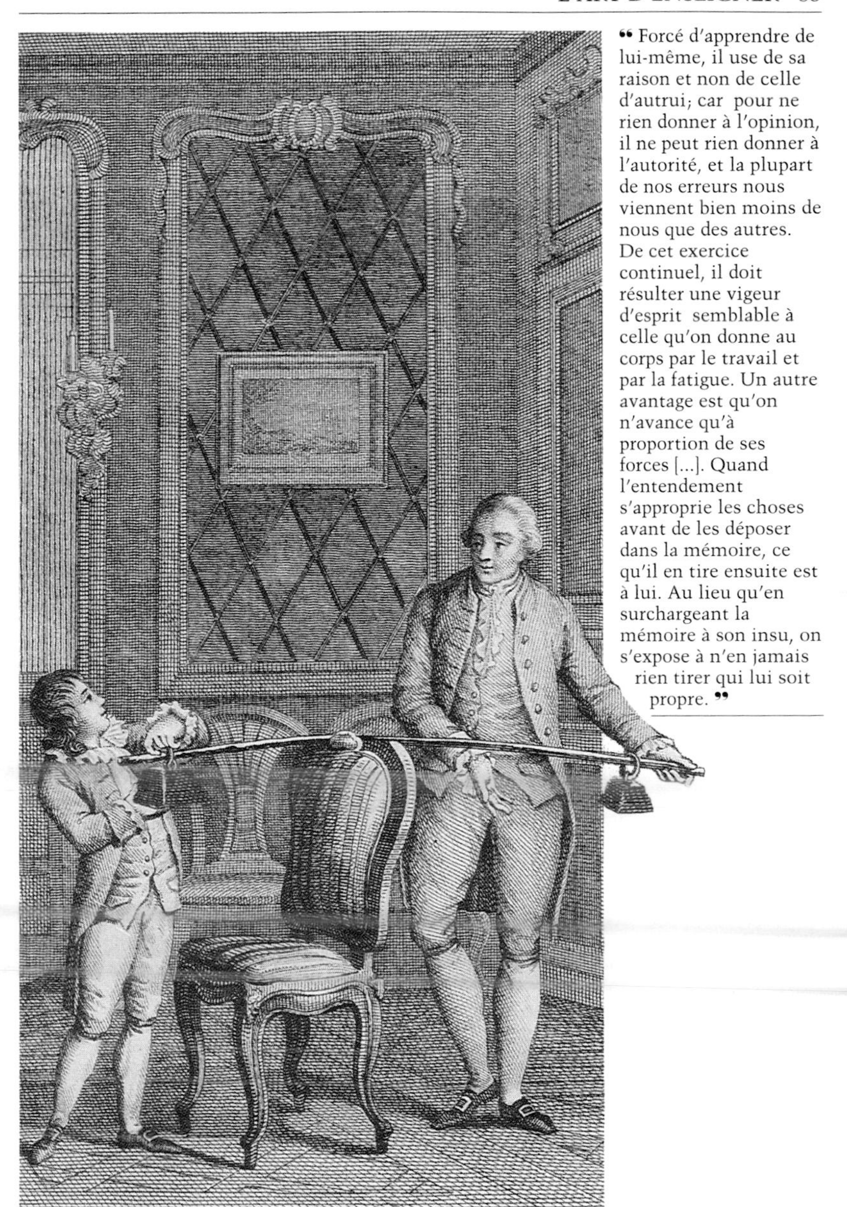

“ Forcé d'apprendre de lui-même, il use de sa raison et non de celle d'autrui; car pour ne rien donner à l'opinion, il ne peut rien donner à l'autorité, et la plupart de nos erreurs nous viennent bien moins de nous que des autres. De cet exercice continuel, il doit résulter une vigeur d'esprit semblable à celle qu'on donne au corps par le travail et par la fatigue. Un autre avantage est qu'on n'avance qu'à proportion de ses forces [...]. Quand l'entendement s'approprie les choses avant de les déposer dans la mémoire, ce qu'il en tire ensuite est à lui. Au lieu qu'en surchargeant la mémoire à son insu, on s'expose à n'en jamais rien tirer qui lui soit propre. ”

Entre 1758 et 1761, Rousseau retravaille «Les Institutions politiques». Le résultat final est une œuvre magistrale : «Le Contrat social»

Une si longue gestation n'est pas sans raison. Jean-Jacques sait la société pervertie. Depuis Venise, «[ses] vues s'étaient beaucoup étendues par l'étude historique de la morale. [Il avait] vu que tout tenait radicalement à la politique et que, de quelque façon qu'on s'y prît, aucun peuple ne serait jamais que ce que la nature de son gouvernement le ferait être».

L'*Emile* a représenté une solution provisoire, en attente d'une conclusion politique que seule la fin des *Institutions politiques* pouvait mettre en lumière. Mais la solution politique tarde. Depuis presque dix ans, Jean-Jacques repousse le moment de conclure. *La Nouvelle Héloïse*, les *Lettres à Sophie*, l'*Emile*, la *Lettre à d'Alembert* (tous composés entre 1756 et 1761) révèlent autant la nouvelle pensée politique de Rousseau qu'ils en éclairent les difficultés. Avec *Le Contrat social*, Rousseau veut écrire une critique des fondements du corps politique. Il s'agit de «trouver une forme d'association qui défende et protège de toute la force commune la personne et les biens de chaque associé, et par laquelle chacun s'unissant à tous n'obéisse pourtant qu'à lui-même et reste aussi libre qu'auparavant. Tel est le problème fondamental dont *Le Contrat social* donne la solution».

Un tel projet bouleverse toutes les pensées politiques. Peu de gouvernements et de pouvoirs

DU

CONTRACT SC

OU,

PRINCIP

DU

DROIT POLIT

PAR J. J. ROUSS

CITOYEN DE GEN

A AMSTERDA

Chez MARC MICHE

MDCCLXII

Les exemplaires du *Contrat social* arrivés à Rouen début 1762 furent saisis. Fin mai 1762, il n'y avait que trois exemplaires en circulation : ceux de Rousseau, de M. de Luxembourg et de M. de Malhesherbes.

contemporains de Rousseau peuvent s'enorgueillir de telles vues. Les monarchies apparaissent comme les pires des régimes, le symbole de tous les vices, la négation du droit, et la démocratie le type de pouvoir politique à instaurer bien que sa construction se révèle difficile et périlleuse.

La période est féconde. Il lui reste également quelques manuscrits non publiés, dont son *Dictionnaire de musique* et un *Essai sur l'origine des langues*. Pour ce dernier, il cherche acquéreur, le fait lire à M. de Malesherbes qui avoue ne rien entendre en la matière, mais assure que cet ouvrage saura plaire aux lecteurs de Jean-Jacques. Finalement, Rousseau suspend sa publication et attend de meilleures occasions.

La Nouvelle Héloïse est imprimée chez Rey, à Amsterdam, en octobre 1760, et se trouve à la disposition du public en février 1761. Les contrefaçons se multiplient : Rousseau est un auteur à succès et les libraires se le disputent. L'*Emile* se fait lentement, *Le Contrat social* plus rapidement.

Un pan de son travail s'achève : le noyau philosophique de son œuvre est constitué

Il n'est pas sûr qu'il en soit satisfait : «Jamais rien ne s'offre à moi qu'isolé et qu'au lieu de lier mes idées dans mes écrits, j'use d'une charlatanerie de transitions qui vous en impose tous les premiers à tous vous autres grands philosophes», écrit-il à Dom Deschamps.

La Nouvelle Héloïse est un succès! Dans les lettres que Jean-Jacques reçoit, il n'est question que de pleurs, d'épanchements, de soupirs. On salue la vertu qui inonde ses pages. On le loue d'avoir donné du sens à la vie. D'autres, peu amènes, prennent prétexte de cette agitation sentimentale autour du livre pour le ridiculiser. Voltaire n'est pas en reste : il se gausse de *La Nouvelle Héloïse*. «Toutes ces grandes aventures

«Si l'on recherche en quoi consiste le plus grand bien de tous, qui doit être la fin de tout système de législation, on trouvera qu'il se réduit à deux objets principaux : la liberté et l'égalité; la liberté parce que toute dépendance particulière est autant de force ôtée au corps de l'Etat; l'égalité, parce que la liberté ne peut subsister sans elle.» La Déclaration des droits de l'homme et du citoyen de 1789 s'inspire des thèses de Rousseau. Comme le note le philosophe Marcel Gauchet : «L'articulation centrale du *Contrat social* correspond exactement à la difficulté qui est celle des constituants : établir [...] le règne de la volonté générale sur la base de la réduction la plus rigoureuse du corps social aux individus, tout en ménageant la possibilité d'un exécutif monarchique.»

sont ornées de magnifiques lieux communs sur la vertu. Jamais catin ne prêcha plus, et jamais valet suborneur de filles ne fut plus philosophe. Jean-Jacques a trouvé l'heureux secret de mettre dans ce beau roman de six tomes trois ou quatre pages de faits et environ mille de discours moraux. Ce n'est ni *Télémaque*, ni *La Princesse de Clèves*, ni *Zaïre* : c'est Jean-Jacques tout pur.»

Quelques pointes de Voltaire sont assassines : «Je frémis pour notre ami Jean-Jacques, je tremble pour ses jours. Il est vrai que le clergé, la noblesse, le Parlement et les dames même n'ont fait que rire de ses injures et de ses systèmes.»

L'hypothèse du complot

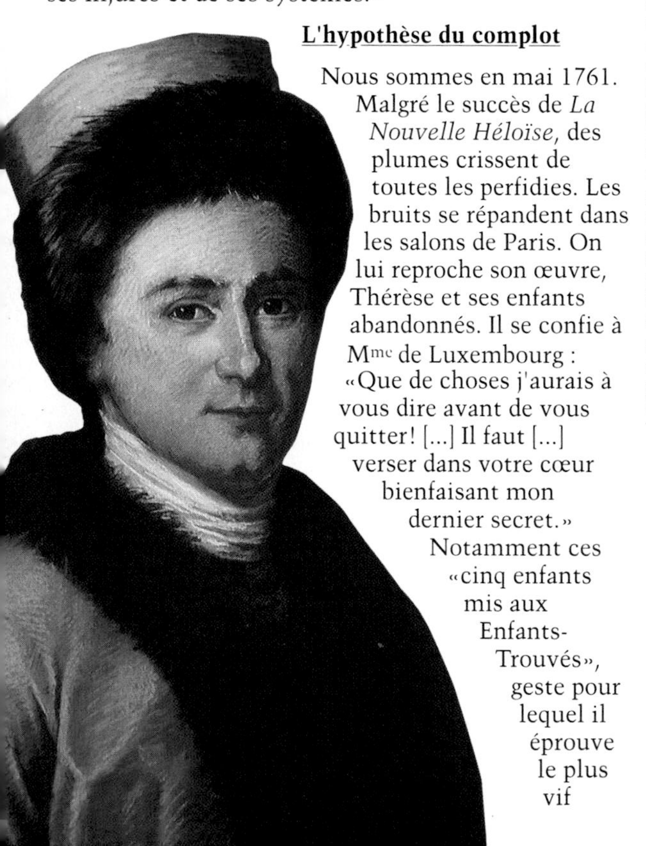

Nous sommes en mai 1761. Malgré le succès de *La Nouvelle Héloïse*, des plumes crissent de toutes les perfidies. Les bruits se répandent dans les salons de Paris. On lui reproche son œuvre, Thérèse et ses enfants abandonnés. Il se confie à Mme de Luxembourg : «Que de choses j'aurais à vous dire avant de vous quitter! [...] Il faut [...] verser dans votre cœur bienfaisant mon dernier secret.» Notamment ces «cinq enfants mis aux Enfants-Trouvés», geste pour lequel il éprouve le plus vif

Les portraits de Rousseau sont nombreux, les répliques le sont davantage encore. Déjà de son vivant, certains de ses portraits circulaient et Rousseau en était le plus souvent irrité. Non qu'il fît le coquet, ou qu'il voulût garder son image dans le secret de l'indifférence, mais il décida que tout portrait qui n'aurait pas son assentiment serait un vol de sa personne, un mensonge colporté à des fins malveillantes. Pourtant, les portraits qui nous restent de lui (comme celui-ci où il est en habit d'Arménien) nous présentent un homme au physique élégant, aux traits agréables, au regard tout à la fois pénétrant et rêveur, le tout nimbé d'une innocence inquiète qui se marque de ce léger recul qu'il semble prendre vis-à-vis du monde et des hommes.

«remords» et qu'il désire «réparer». Il donne à Mme de Luxembourg quelques indications afin que certains puissent être reconnus, lui demande que la mère des enfants, Thérèse, puisse bénéficier de ses faveurs dans le cas de sa disparition.

Jean-Jacques fait le bilan, range ses papiers, propose aux libraires ce qui reste à publier, assure sa «bonne Thérèse» du nécessaire pour vivre et écrit à ses correspondants qu'il est à «l'extrémité» : il prépare sa mort.

On s'empresse autour du malade. Il se croit mourant. On convoque les médecins qui, pour la plupart, sont plutôt rassurants. Il n'a pas la «pierre», le mal étant «certainement dans la prostate ou dans le col de la vessie ou dans le canal de l'urètre et probablement dans tous les trois», comme il l'écrira dans son testament de 1763. Mme de Luxembourg se démène pour retrouver les enfants de Rousseau. Le fidèle ami de Genève,

En 1751, Rousseau, dans une lettre dont nous possédons la copie chiffrée, avait averti Mme de Francueil qu'il avait abandonné ses enfants aux Enfants-Trouvés. Le soin pour se dissimuler est le signe d'une culpabilité dont, peu à peu, il tentera, pour lui-même et pour les autres, d'entendre raison.

Moulton, se charge de rassembler et de publier les papiers de Jean-Jacques. M. de Malesherbes rassure Rousseau à propos de la publication de ses ouvrages. Rien n'y fait : Jean-Jacques commence à forger l'hypothèse d'un complot. Tout, à ses yeux, se ligue contre lui, tout se brouille, rien n'est sûr : il ne voit plus que «des indices très équivoques où [il croit] voir les preuves les plus claires». «Oh! qu'il est cruel pour un solitaire malade et triste, d'avoir une imagination déréglée!», s'écrie-t-il. Bien que ses amis le protègent, il se terre, s'enferme dans la persécution. On le plaint. M. de Malesherbes écrit à Mme de Luxembourg : «Vous y verrez le fond de son âme et ce mélange d'honnêteté, d'élévation et en même temps de mélancolie et quelquefois de désespoir qui fait le tourment de sa vie, mais qui a produit ses ouvrages.»

Directeur de la Librairie depuis 1750, Malesherbes y fait preuve d'une ouverture d'esprit remarquable.

«Vitam impendere vero», consacrer sa vie à la vérité

Il faut qu'il parle de lui, il a besoin de dire sa vérité, celle à laquelle il ne cesse de souscrire, celle-là même dont il s'est fait graver la devise sur son cachet : *Vitam impendere vero*. Dire tout, de sa vie, du complot; clamer, avouer la vérité. Pendant le mois de janvier 1762, il écrit quatre lettres à M. de Malesherbes. Il n'a jamais écrit avec tant de facilité, il jette sur le papier, «sans brouillon, rapidement, à trait de plume», l'esquisse du projet qui l'animera jusqu'à la fin de ses jours : ses mémoires. Il n'esquive aucune de ses contradictions; il les étale au contraire, les approfondit, cherche à les rendre plus vives pour les mieux comprendre : la gloire et la solitude, la ville et la campagne, la misanthropie et l'amitié, la paresse et le travail, l'estime de quelques-uns et la haine des autres, Français de corps et Genevois de cœur. Tout s'entrechoque dans la flamme de l'aveu. «Ces lettres contiennent la peinture exacte de mon caractère, et la clef de toute ma conduite, autant que j'ai pu lire dans mon cœur», écrira-t-il quelques mois plus tard.
La publication de l'*Emile* rencontre des obstacles de dernière minute; Malesherbes tente de les surmonter. Finalement, *Le Contrat social* paraît fin avril, et l'*Emile* le 22 mai 1762. D'entrée, le succès est assuré : les livres sont lus, les premières lettres de

lecteurs parviennent à Rousseau, mais dans toutes ces missives, il remarque des réserves. Certaines ne sont pas signées (celle de d'Alembert par exemple), d'autres prennent quelques précautions dans leur jugement, d'autres encore cherchent à prendre congé (ainsi M. de Malesherbes demande à Jean-Jacques qu'il lui renvoie toutes ses lettres), évitant ainsi d'apporter une caution à des livres qui sentent si fort le brûlot, voire le fagot!

Le scandale éclate, les institutions s'agitent, le Parlement, la Cour, les jésuites exigent que l'auteur rende compte de ses actes impies et subversifs. M. de Malesherbes ne peut plus résister au scandale : il est déchiré. Lui qui avait accompagné et soutenu

Depuis 1629, date à laquelle elle est instituée par Richelieu, la censure opère son sinistre ouvrage. En 1742, soixante-dix-neuf censeurs royaux sont nommés. Le seul domaine des belles lettres en occupe trente-cinq. Tout livre, avant d'être imprimé, doit recevoir une autorisation appelée «privilège». Sous Louis XV, grâce surtout à Mme de Pompadour et à M. de Malesherbes, le parti des philosophes jouira d'une relative protection. Néanmoins, rares sont ceux qui ont pu échapper à la censure. Pour la contourner, de nombreux ouvrages furent imprimés à l'étranger, notamment à Amsterdam et à Londres. Parfois certains libraires indiquaient fallacieusement le nom d'un imprimeur étranger sur le livre pour n'être point inquiétés. Cette multiplicité d'opérations rendait souvent aléatoire pour l'auteur le contrôle et le bénéfice financier de son travail.

Jean-Jacques dans son travail est contraint d'interdire la vente de l'*Emile*. M. et Mme de Luxembourg et le prince de Conti tentent de prévenir Jean-Jacques qui semble absent – insouciance ou certitude de son destin? Il n'a jamais été aussi calme, mais l'étau se resserre. Le prince de Conti fait savoir à Jean-Jacques qu'il «sera décrété d'arrestation le jour même». On lui conseille la fuite. Il hésite et désire se défendre. Le 7 juin, il écrit à Mme de Créqui qu'il «ne sait point se cacher»; il répète : «J'ai rendu gloire à Dieu et parlé pour le bien des hommes. Pour une si grande cause, je ne refuserai jamais de souffrir.»

Pourtant, de peur d'indisposer et de porter atteinte à la sécurité de ses amis, il consent à partir.

Rousseau a bénéficié de la protection de quelques grands du royaume. Ainsi le prince de Conti (1717-1776) qui avait abandonné la carrière militaire pour devenir le conseiller secret de Louis XV en politique étrangère. Pendant les années de Montmorency, Rousseau reçut par deux fois sa visite. Il en était à ce point honoré qu'il mentionne dans *Les Confessions* que le prince vint lorsque l'épouse du duc de Luxembourg n'était pas à Montmorency «afin de rendre plus manifeste qu'il n'y venait que pour moi».

Le duc et maréchal de France, M. de Luxembourg, se dépensa sans compter pour aider son ombrageux voisin. Ci-contre, les adieux de Rousseau partant pour l'exil au maréchal et à sa famille.

L'«Emile» au bûcher, Rousseau en fuite : le complot se confirme

On lui propose de loger incognito à Paris, de séjourner chez Hume en Angleterre; Jean-Jacques choisit Yverdon, en Suisse. La procédure contre Rousseau est entamée. L'arrêt du Parlement condamne l'*Emile* à être lacéré et brûlé; la prise de corps est décrétée. Personne n'a pu défendre Jean-Jacques; les huissiers se mettent en route pour lui signifier son arrestation. Ils arrivent à Montmorency, mais Jean-Jacques a quitté les lieux depuis une heure.

Le vendredi 11 juin, l'exécution de l'arrêt du Parlement est ordonnée : l'*Emile* brûle au pied du grand escalier du Palais de justice.

Jean-Jacques, lui, est en route. Pour plus de commodité, il a laissé Thérèse sous la protection de M. et Mme de Luxembourg. Il est étonnamment calme. En chemin, se souvenant de la lecture récente d'un passage de la Bible, il prend le temps d'écrire *Le Lévite d'Ephraïm*. Il y conte la liaison d'un jeune lévite et de sa jeune et belle épouse, fille de Judée, dans un lieu de bonheur, hors des distinctions et des interdits qui régissent les tribus. Mais le malheur s'abat sur le couple. La jeune épouse est violée par les hommes de tribus rivales. Le lévite crie vengeance et le sang coule.

Il s'agit de Rousseau. Qui ne reconnaît pas, dans cette femme violée et lacérée, dans les ravages de la violence, dans la barbarie de certains, la lâcheté d'autres, l'amour tué, la fuite,

«Où veux-tu fuir? Le fantôme est dans ton cœur.» Tel Saint-Preux pressentant en songe la mort de Julie (ci-dessous), sur les routes qui le conduisent en Suisse, Rousseau, dans ces quelques pages du *Lévite d'Ephraïm*, pressent les épreuves qu'il va traverser et ramasse en un seul et même geste sa vie et le destin de l'humanité.

l'hospitalité, l'abjection des vainqueurs, le désespoir des vaincus et le sacrifice, les repères de son existence?

Il songe douloureusement à ces signes lorsqu'il traverse Dijon, Dôle et Pontarlier pour gagner, le 14 juin 1762, la demeure de son ami Roguin, au bord du lac de Neuchâtel, à Yverdon, «terre de justice et de liberté».

Quelques soutiens et la gloire ne font pas néanmoins défaut à Rousseau sur la route de l'exil, ce qui fera dire à Saint-Lambert : «Ne le plaignez pas trop, il voyage avec sa maîtresse : la réputation».

À présent en Suisse, exilé dans son pays d'origine, là où rien ne change, Rousseau retrouve une paix qu'il avait voulu si ardemment préserver à Montmorency. Son génie l'a jeté sur les routes. Alors que l'Europe gronde son opprobre – la Sorbonne, Amsterdam, Rome brûlent ses œuvres –, Jean-Jacques se promène et savoure les joies paisibles que sait lui donner la famille Roguin.

CHAPITRE V
LE RÉPROUVÉ

L'isolement s'accentue. Les grands ouvrages philosophiques sont écrits. Restent la contemplation et la rêverie pour mieux entendre, dans le spectacle du monde, la vérité de la nature.

Le 19 juin à Genève – avec le silence complice de Voltaire –, le 2 juillet à Berne, Rousseau est décrété de prise de corps : *Le Contrat social* et l'*Emile* sont brûlés! Il doit quitter Yverdon le 9 juillet et gagner Môtiers, à quelques kilomètres de là, dans la principauté prussienne de Neuchâtel.

Il dépend à présent de Frédéric II. Rousseau a tout lieu d'être inquiet. N'a-t-il pas vilipendé tous les princes et rois d'Europe? Or, loin de l'éconduire, on l'accueille avec bienveillance; il se reconnaît même un nouvel ami, le gouverneur de Neuchâtel, George lord Keith, maréchal d'Ecosse, qu'il appelle milord Maréchal. Frédéric II lui propose de l'argent et la construction d'une maison. Jean-Jacques refuse, mais ne manque pas d'être flatté et rassuré par cette mansuétude. Installé à Môtiers, il reprend goût à l'existence; Thérèse le rejoint. Jean-Jacques traîne dans la contrée avec la longue robe d'Arménien que Thérèse lui a rapportée de Montmorency.

Il recherche, lors de ses fréquentes promenades, la compagnie de quelques dames de la région et propose des lacets multicolores qu'il confectionne lui-même à toutes celles qui s'engagent à allaiter leurs enfants. Il se veut leur conseiller et confident. «J'ai pris l'habit long, et je fais des lacets : me voilà plus d'à moitié femme; que ne l'ai-je toujours été! Madame, j'ai tâché de ne pas déshonorer mon sexe; j'espère de n'être pas rebuté du vôtre», confie-t-il à Mme de Verdelin.

Frédéric II (1712-1786), roi de Prusse depuis 1740, affiche très tôt des talents littéraires et philosophiques. Son premier ouvrage – *Antimachiavel* (1740) – présente une théorie du pouvoir fondé non sur le droit divin, mais sur le contrat. La Mettrie, Maupertuis et Voltaire y seront sensibles. Mais, très vite, les exigences du pouvoir en feront un despote, d'où d'innombrables brouilles avec ses amis philosophes (Voltaire, d'Holbach). Rousseau a écrit des mots très durs contre Frédéric II : «Je ne puis estimer un homme [...] qui foule aux pieds tout droit des gens, qui ne croit pas à la vertu, mais la regarde comme un leurre avec lequel on amuse les sots.» Pourtant, Frédéric II ne semble pas, en ces années, lui en tenir rigueur.

Quand Jean-Jacques désespère de Genève...

A Paris et ailleurs, les hiérarchies cléricales – calviniste et catholique – fourbissent leurs armes : on rédige les censures, on traque l'infidèle... Même Christophe de Beaumont, archevêque de Paris, pour lequel Jean-Jacques a quelque sympathie, participe à cette condamnation venue de l'Europe entière. Non seulement il interdit les livres incriminés – ce que sa position dans l'Eglise rend compréhensible – mais, de plus, il s'acharne sur l'homme.

Rousseau est blessé. Où qu'il se situe et quoi qu'il dise, il est coupable. Il lui répond et se défend en arguant de sa bonne foi : «J'ai grande envie,

« En entrant sur le territoire de Berne je fis arrêter; je descendis, je me prosternai, j'embrassai, je baisai la terre et m'écriai dans mon transport. Ciel protecteur de la vertu, je te loue, je touche une terre de liberté. C'est ainsi que aveugle et confiant dans mes espérances, je me suis toujours passionné pour ce qui devait faire mon malheur. »

Les Confessions, livre XI

Monseigneur, de prendre ici ma méthode ordinaire, et de donner l'histoire de mes idées pour toute réponse à mes accusateurs. Je crois ne pouvoir mieux justifier tout ce que j'ai osé dire, qu'en disant tout ce que j'ai pensé. »

Il abdique «à perpétuité de son droit de bourgeoisie et de cité dans la ville et république de Genève»

Pour le moment, le rejet des thèses de Rousseau s'amplifie. Les pasteurs de Neuchâtel, à leur tour, interdisent l'*Emile* et *Le Contrat social*. Néanmoins, grâce aux bonnes relations qu'il entretient avec le pasteur de Môtiers, M. de Montmollin, Rousseau peut continuer à vivre dans une relative sécurité.

L'argent manque; la maladie contribue dangereusement à l'affaiblir. Il ressent quelques marques de défiance dans son voisinage. Il repense à l'avenir de Thérèse, réécrit son testament : elle ne doit surtout manquer de rien. Au mois de mars, la *Lettre à Christophe de Beaumont* est publiée. Il espère vivement qu'on va lui reconnaître le mérite de la sincérité à défaut de célébrer la haute valeur morale de ses thèses. Mais rien n'y fait, Genève ne veut plus l'entendre. On interdit la réimpression de cette confession philosophique et religieuse. Le parti de Jean-Jacques est pris : il abdique «à perpétuité de [son] droit de bourgeoisie et de cité dans la ville et république de Genève». Il a voulu être leur honneur; il s'attache, à présent, à assumer le déshonneur de ne point leur plaire. Le citoyen de Genève est vaincu; l'air de la corruption a gagné la république de Genève. Certains amis de Jean-Jacques cherchent à le rétablir dans ses droits. Soutenus par plusieurs centaines de citoyens, ils proposent des requêtes auprès des autorités : elles sont toutes repoussées avec dédain. Le débat dépasse largement le cas de Rousseau : ce sont les fondements de la

Depuis cet arrêt du Parlement (9 juin 1762), Rousseau est un proscrit. Toutes les polices ont le droit de l'arrêter. Toutefois, protections et amitiés sauront atténuer la rigueur de la loi.

ARREST
DE LA COUR
DE PARLEMENT

QUI condamne un Imprimé ayant pour titre, Emil... ou de l'Education; par J. J. Rousseau, imprimé à La Haye... M. DCC. LXII. à être lacéré & brûlé par l'Exécuteur de la Haute-Justice.

EXTRAIT DES REGISTRES DU PARLEMENT

Du 9 Juin 1762.

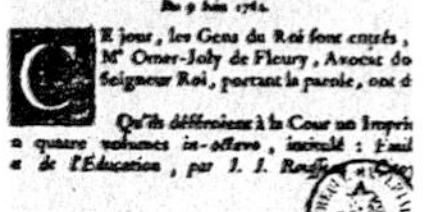

Ce jour, les Gens du Roi sont entrés, Mᵉ Omer-Joly de Fleury, Avocat du Seigneur Roi, portant la parole, ont d...

Qu'ils déféroient à la Cour un Imprimé en quatre volumes in-octavo, intitulé : Emil... de l'Education, par J. J. Rousseau...

Rousseau s'installe en un nouveau lieu : Môtiers-Travers dans le comté de Neuchâtel. «Le pays si l'on excepte la ville et les bords du lacs est aussi rude (et aussi rustique) que le reste de la Suisse.» Il perçoit certains signes de défiance, il sait son temps compté. Le magistrat de la ville de Neuchâtel s'est dépêché d'interdire son livre «sans le connaître». Sa sécurité ne tient qu'à la double protection de milord Maréchal et de Frédéric II.

constitution de l'Etat qui sont mis à mal par ceux qui ne se reconnaissent plus dans les institutions de la République.

De leur côté, les autorités de Genève cherchent à se justifier et font paraître une brochure intitulée : *Lettres écrites de la campagne*. Rousseau hésite à répondre. Finalement, en octobre 1763, il consent à prendre la plume. Dans les *Lettres écrites de la montagne*, il s'attaque à tous ceux qui ont rejeté l'*Emile*. Il s'attache à défendre l'idée d'un christianisme tolérant, à l'écoute des paroles du cœur et de la conscience. Il demande à l'Eglise d'être respectueuse de l'Evangile et de la raison. Il réaffirme la grandeur de la démocratie directe, analysée dans *Le Contrat social*, mais sait aussi écouter les partisans, plus conciliants et moins radicaux, de l'équilibre des pouvoirs cher à Montesquieu. En vérité, il rédige un éloge de la constitution originelle de Genève, condamnant par conséquent tout ce qui, dans l'histoire, a pu altérer sa pureté première.
«La plus profonde indifférence a succédé à mon ancien zèle pour la patrie. Genève est pour moi comme n'existant plus.»

Si ce n'est la Suisse, ce sera peut-être la Corse!

En septembre 1764, un émissaire corse, Buttafoco, demande à Rousseau de rédiger un projet de constitution pour son pays. Les Corses avaient été sensibles aux propos bienveillants du *Contrat social* sur leur pays et sur eux-mêmes.

Rousseau, bien que conscient des difficultés (éloignement, connaissances parcellaires de la réalité géographique et politique de l'île, divisions politiques), écrit un projet où il prône la démocratie

rustique, l'égalité, l'inutilité d'une classe noble, la construction d'une économie fondée sur la terre et la paysannerie, le contrôle des dépenses et des revenus par une assemblée populaire, l'acceptation par le citoyen d'une charge au bénéfice de la communauté, la limitation du droit de propriété et un gouvernement fédéral aux pouvoirs limités.

Ces propositions ne seront jamais connues par ceux auxquels elles étaient destinées. Des oppositions en Corse et en France et les exils répétés de Jean-Jacques auront raison de son travail.

Depuis 1721, les Corses veulent se libérer de la tutelle de Gênes. Ils y parviennent en partie en 1735. Ils sont dirigés par une haute figure du nationalisme corse, Pasquale Paoli, qui met en œuvre une politique éclairée et souhaite donner à ses nouvelles institutions un soutien légal par l'élaboration d'une constitution.

Voltaire s'acharne encore

Un nouveau pamphlet, *Le Sentiment des citoyens*, circule. Jean-Jacques ignore ou feint d'ignorer qu'il est de Voltaire. Il y est traîné dans la boue : on le traite de fou, d'hypocrite, de débauché. On y répand à foison calomnies et insinuations malveillantes sur la teneur de sa maladie. Rousseau est ulcéré : la plume de Voltaire est cruelle, et de plus en plus précise. Qui engageait, dans une note du 26 décembre 1764, les ministres à ce qu'ils «réduisent la canaille au silence en faisant connaître les endroits blasphématoires et séditieux, et qu'ensuite ils punissent, non pas un livre qu'on ne peut punir, mais un coquin digne des châtiments les plus sévères»? Qui, sinon Voltaire?

Ce sont, à présent, les *Lettres de la montagne* qui sont lacérées et brûlées à Paris et à La Haye. Genève, Berne et Neuchâtel s'empressent, à leur tour, de les dénoncer. Toutes les hiérarchies politiques et religieuses se dressent contre Rousseau. A Môtiers même, il n'est plus en sécurité. Le pasteur Montmollin, si accommodant jadis pour le paria Jean-Jacques, se range dans le camp des autorités; il n'est pas le moins virulent. Encore une fois, on demande des comptes à Jean-Jacques. Il se défend avec tant de véhémence et de conviction que le consistoire de Môtiers, devant lequel il comparaît, ne parvient pas à conclure sur son cas. Il lui reste encore quelques amis, et non des moindres, puisqu'un décret de Frédéric II, en le plaçant sous la protection du conseil d'Etat de Neuchâtel, le soustrait à la juridiction du consistoire. Officiellement, les pasteurs n'ont plus de prise sur lui. Mais ses jours à Môtiers sont comptés, le désenchantement le gagne.

Reste la défense de sa vie, celle dont il avait esquissé les grands traits dans les *Lettres à Malesherbes* (1762). Il y songe. Rey, depuis quelques années, et d'autres plus récemment, l'invitent à écrire ses mémoires. Ce seront *Les Confessions* : face aux mensonges et au cynisme, il doit tout dire de lui. Il lui faut, en effet, sauver sa vie, l'ancrer au plus profond d'elle-même, là où réside son authenticité. Il lui faut revenir à cette origine, ce Moi qui, seul, fait

Tandis que, selon lui, Voltaire (ci-contre) avance masqué derrière des noms d'emprunt ou l'anonymat, Rousseau, révélant ouvertement son nom, met un point d'honneur à s'offrir au regard des Etats. Dans les *Lettres de la montagne,* il justifie son attitude en revendiquant la nécessaire correspondance d'une œuvre et d'un homme et stigmatise le manque de courage de Voltaire. Par ailleurs, dans sa cinquième lettre, il lui rappelle son *Sermon des Cinquante,* ouvrage violemment antichrétien, écrit en 1759, publié en 1762, dont Voltaire refusera toujours la paternité. Blessé, Voltaire s'emporte et traite Rousseau de délateur dans *Le Sentiment des citoyens,* texte anonyme qui se clôt par cette sentence radicale : «On punit capitalement un vil séditieux.»

autorité pour légitimer ce qu'il accomplit. «Il faut rétrograder vers les temps où rien ne l'empêchait d'être lui-même, ou bien le pénétrer plus intimement, *intus et in cute* (à l'intérieur et sous la peau), pour y lire immédiatement les véritables dispositions de son âme que tant de malheurs n'ont pu aigrir.»

Le désaveu d'une foule et la paix retrouvée d'une île accueillante

«L'émeute est telle ici, Monsieur, parmi la canaille, que la nuit dernière mes portes ont été forcées, mes vitres cassées et une pierre comme la tête est venue frapper presque jusqu'à mon lit. On a tenu ce matin une justice extraordinaire, mais les assassins ne sont pas découverts. Le ministre Montmollin s'est fait ouvertement chef d'une bande de coupe-jarrets.» Rousseau est chassé de Môtiers. Fort de son influence sur la population, Montmollin, par des sermons vengeurs, le contraint à gagner l'île Saint-Pierre toute proche, sur le lac de Bienne.

Des pierres lancées par les gueux jusqu'au séjour sur l'île Saint-Pierre aimée, il y a le trajet qui conduit du malheur au bonheur. «La petite île où je suis m'a paru propre à y fixer ma retraite. Elle est très agréable; on y trouve ni gens d'église, ni brigands ameutés par eux.» Le répit et la solitude qu'il y connaît lui permettent de renouer avec les délices de la rêverie. «Souvent laissant aller mon bateau à la merci de l'air et de l'eau, je me livrais à des rêveries sans objet et qui pour être stupides n'en étaient pas moins douces. Je m'écriai parfois avec attendrissement : Ô nature, ô ma mère, me voici sous ta seule garde; il n'y a point ici d'homme adroit et fourbe qui s'interpose entre toi et moi.»

Rousseau s'est passionnément consacré à la botanique dans ces années 1762-1765. Cet intérêt pour les plantes, les fruits et les fleurs remonte aux années passées à Chambéry auprès de Mme de Warens. Employé au cadastre, il courait alors la campagne, crayons et pinceaux à la main, plus sensible aux fleurs et aux paysages à représenter qu'à l'ordre géométrique des plans à dresser. Dès cette époque (1731-1732), Rousseau avouait son peu de goût pour toute forme de botanique utilitaire.

L'île Saint-Pierre est accueillante. Le *Systema naturae* de Linné sous le bras, il parcourt l'île en tous sens pour rédiger *La Flore de l'île de Saint-Pierre*. La botanique signifie repos et parenthèse dans l'agitation du monde. Le temps des végétaux est comme un temps d'arrêt, sans histoire, toujours égal et présent à lui-même, où même la pensée n'a plus d'objet. «Avec un *Linnaeus* dans la poche et du foin dans la tête j'espère qu'on ne me pendra pas.»

Mais ce séjour, pour heureux qu'il lui paraisse, sera bref : les autorités de Berne lui signifient son expulsion. Las de parcourir les routes de l'exil, il envisage la prison, la demande aux autorités de Bienne qui la lui refusent.

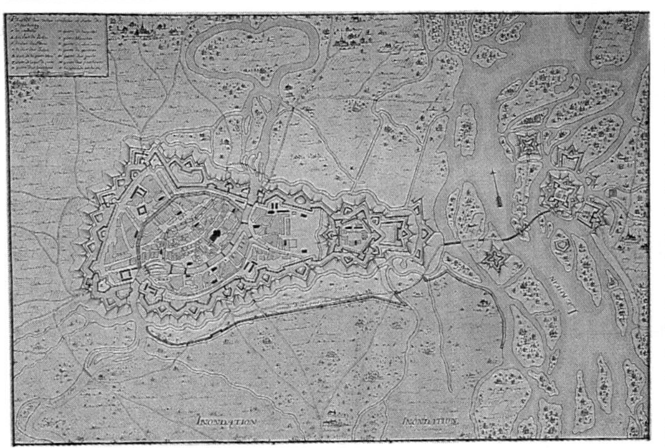

Fêté et persécuté à la fois, Rousseau continue de subir les paradoxes de son destin

En cette fin d'année 1765, il se rend à Strasbourg. On le fête : le proscrit est célèbre. Il assiste aux représentations du *Devin du village* et honore toutes les invitations. De retour à Paris, les anciens amis s'arrachent sa compagnie. Même Diderot – qui a tout tenté pour apaiser leur différend depuis que Jean-Jacques est victime de persécutions – espère une visite. Rousseau ne viendra pas. Sur ce point, il est intraitable : «J'ai été son ami, je ne le suis plus, je l'ai dit au public, je ne puis rien [...] dire sur ce chapitre.» La police également se rappelle à son souvenir : un proscrit n'a pas à faire si grand tapage. Quelques fidèles organisent son départ pour l'Angleterre. Le 4 juillet, il part en compagnie de Hume.

L'accueil est exceptionnel. Thérèse l'a rejoint, ils ont pu recréer l'atmosphère de leur intimité perdue à Môtiers. Mais, en toutes choses, Rousseau est inflexible. Il soupçonne Hume des pires vilenies, il refuse de se rendre à un gala officiel pour rester auprès de son chien Sultan et choque les manières britanniques en réclamant fermement que Thérèse partage la table de ses hôtes. On ne lui tient pourtant pas rigueur de ses excentricités. Un riche propriétaire, M. Davenport, lui offre une propriété à Wootton dans le Derbyshire. Hume s'engage à lui faire obtenir une pension du roi d'Angleterre.

Strasbourg est un centre intellectuel et politique florissant en ce milieu du XVIIIe siècle. La vie culturelle est si riche que durant son bref séjour Rousseau peut assister presque chaque soir à un concert ou à une représentation théâtrale. Cinq ans plus tard, Goethe viendra y faire ses études. Outre la cathédrale, qui lui ouvre l'horizon du gothique, et la qualité culturelle de la ville, il admirera sa prodigieuse gaieté : costumes divers et riches, demoiselles agréables... «De quelque côté qu'on se dirige, on trouve des lieux de plaisance, ouvrages de la nature ou de l'art de différentes époques, tous également fréquentés par une joyeuse population», écrira-t-il dans *Poésie et Vérité*.

Du plaisir d'herboriser...

« La botanique est l'étude d'un oisif et paresseux solitaire : une pointe et une loupe sont tout l'appareil dont il a besoin pour les observer. Il se promène, il erre librement d'un objet à l'autre, il fait la revue de chaque fleur avec intérêt et curiosité, et sitôt qu'il commence à saisir les lois de leur structure il goûte à les observer un plaisir sans peine aussi vif que s'il lui en coûtait beaucoup. Il y a dans cette oiseuse occupation un charme qu'on ne sent que dans le plein calme des passions mais qui suffit seul alors pour rendre la vie heureuse et douce... »

... à la botanique de cabinet

« ... Mais [...] sitôt qu'on ne veut apprendre que pour instruire, qu'on n'herborise que pour devenir auteur ou professeur, tout ce doux charme s'évanouit, on ne voit plus dans les plantes que des instruments de nos passions, on ne trouve plus aucun vrai plaisir dans leur étude, on ne veut plus savoir mais montrer qu'on sait, et dans les bois on n'est que sur le théâtre du monde, occupé du soin de s'y faire admirer; ou bien se bornant à la botanique de cabinet et de jardin tout au plus, au lieu d'observer les végétaux dans la nature, on ne s'occupe que de systèmes et de méthodes; matière éternelle de dispute qui ne fait pas connaître une plante de plus et ne jette aucune véritable lumière sur l'histoire naturelle et le règne végétal. »

Les Rêveries du promeneur solitaire, septième promenade

Le malentendu anglais et le complot parisien

Pourtant, avec Hume, les incidents succèdent aux réconciliations. Hume perd patience, il s'en explique à ses amis de Paris et désire se justifier du procès injuste que Jean-Jacques instruit à son endroit. On lui recommande la discrétion, mais on ne se fait pas faute – notamment d'Holbach – de se gausser des dernières lubies de ce pauvre fou de Jean-Jacques.

A Wootton, Rousseau est protégé des importuns par sa méconnaissance de la langue anglaise. Il peut se consacrer à la rédaction des *Confessions,* faire de la musique sur son épinette et herboriser à loisir. Il se détache du monde des lettres.

Hume, dans l'*Exposé succinct,* conte en détail toutes les péripéties de leur amitié difficile et joint à son texte certains documents dont les signatures – entre autres celle de d'Alembert – justifient l'hypothèse du complot qui obsède Jean-Jacques. Voltaire poursuit Rousseau de ses insultes dans une lettre à Hume publiée par *Le Mercure de France.*

La fin de cette année 1766 est douloureuse. Thérèse est malade, d'Holbach enquête

Londres indispose Rousseau. Bruits et fureur, argent et commerce, vanité et mondanité, là comme ailleurs, lui sont insupportables. «Le trop grand voisinage de Londres, ma passion croissante pour la retraite, et je ne sais quelle fatalité qui me détermine indépendamment de la raison m'entrainent dans les montagnes du Derbyshire...» à Wootton, à 200 km de Londres.

sur la situation financière de Rousseau chez le banquier Rougemont, Voltaire cherche à prouver que Rousseau, à Venise, n'était qu'un valet... L'abjection rivalise avec l'infamie, le mal avec le mal. Il est vrai que les «amis» de Rousseau commencent à craindre qu'il ne vienne à publier ses *Confessions* et redoutent de ne point y faire bonne figure.

Davenport parvient à persuader Rousseau de recevoir une pension du roi. Il ne l'accepte qu'à condition de n'en devoir reconnaissance à personne. Wootton et l'Angleterre lui sont désormais insupportables. Il quitte la demeure de M. Davenport le 1er mai 1767. Pendant quelque temps, il erre avec Thérèse entre Wootton et Douvres. Le 21 mai, ils sont sur le bateau en partance pour Calais. Rousseau a confié le manuscrit des trois premiers livres des *Confessions* à du Peyrou.

Thérèse n'est guère heureuse en Angleterre. Une oisiveté peu habituelle pour elle, le mépris pour sa personne affiché par les domestiques de ses hôtes, le peu de goût pour les «grandes compagnies» mondaines gâchent son séjour. A quarante-six ans, elle est lasse de ces exils répétés. Elle tombe malade en novembre 1766.

En dépit de tous les risques, Rousseau réapparaît à Paris

A Amiens déjà, certains le reconnaissent; on fête le retour du grand homme. Ses amis s'inquiètent d'une telle agitation. Rousseau est toujours décrété de prise de corps sur le territoire national. Le prince de Conti le cherche, mais Jean-Jacques est déjà parti à Fleury-sous-Meudon, chez Mirabeau. Là encore, il n'est pas en sécurité. Le prince de Conti le prend en charge le 19 juin. Il le loge au château de Trye, à proximité de Gisors. Rousseau se dissimule sous un faux nom : M. Renou. Il supporte difficilement de devoir se cacher, d'être traité comme un fâcheux. Malgré tout, on continue de le solliciter, notamment Mirabeau qui tient à lui faire partager ses vues de physiocrate sur l'économie. Rousseau est las : il se déclare absent au monde. Entre-temps, il poursuit la rédaction des *Confessions* : il en est au livre VI. Le *Dictionnaire de musique* paraît fin novembre 1767. Le 10 juin, Jean-Jacques quitte Trye. En juillet 1768, il est à Grenoble et va à Chambéry se recueillir sur la tombe de Mme de Warens, décédée en juillet 1762. Le 30 août, il se marie à Bourgoin où il s'est installé : «J'ai cru ne rien risquer de rendre indissoluble un attachement de vingt-cinq ans, que l'estime mutuelle, sans laquelle il n'est point d'amitié durable, n'a fait qu'augmenter incessamment.»

M. de Luxembourg assure à Rousseau qu'il ne peut jouir «nulle autre part en France» d'un meilleur lieu que ce château de Trye, où «la gloire et l'opprobre» ont partagé son séjour. «Le château est vieux, le pays agréable, et j'y suis dans un hospice qui ne me laisserait rien à regretter, si je ne sortais pas de Fleury» écrit-il au marquis de Mirabeau qui l'avait précédemment accueilli à Fleury-sous-Meudon.

L'insécurité demeure. Où aller? Qui peut l'aider? La thèse du complot se fortifie. «Ceux qui disposent de moi [...] à force de vouloir me contraindre à rester en France [...] me mettent dans l'absolue nécessité d'en sortir.» Fin janvier 1769, il demeure à Monquin, dans les Alpes. Il herborise, réaffirme la couleur singulière de sa foi dans une lettre à M. de Franquières, et se désespère de ne pouvoir faire de la musique.

A la suite d'une expédition décevante au Mont-Pilat, Il cesse momentanément ses activités de botaniste pour se remettre à la rédaction des *Confessions*. Les livres VII à XI sont achevés. Il reprend son nom de Rousseau et quitte Monquin le 10 avril 1770. Il ne veut plus y être «un enterré vivant».

Le retour à Paris est inévitable. La certitude l'envahit qu'il n'y a pas d'autre lieu pour surveiller le complot qu'en se situant en son cœur, dans la capitale. Il s'installe, avec Thérèse, dans leur ancien logis de la rue Plâtrière. Ce n'est un secret pour personne : on l'attend. La police le sait, le procureur le tolère à la seule condition qu'il ne publie rien.

«J'ai repris ici mon ancien logement et mes anciennes connaissances, j'ai eu du plaisir à les retrouver et elles ont aussi marqué de la satisfaction à me revoir. A tout prendre l'habitation de Paris peut aussi avoir pour moi ses agréments ainsi que ses avantages, et puisque ma situation présente en fait une nécessité, je m'y soumettrai sans beaucoup de peine.»
De sa fenêtre de la rue Plâtrière (actuellement rue Jean-Jacques Rousseau), Rousseau pouvait voir et entendre les cloches de Saint-Eustache.

En 1764, Poniatowski est élu roi de Pologne. Il est soutenu par Frédéric II et Catherine II – la Prusse et la Russie, les anges tutélaires de la Pologne. Mais, séduit par les projets de réforme des libéraux, il essaye une politique audacieuse qui rencontre l'opposition des conservateurs polonais ainsi que de ses deux puissances tutélaires, qui n'ont aucun intérêt à soutenir une Pologne forte et indépendante. La lutte armée est engagée entre le roi et toute l'opposition qui rassemble les nobles, le monde paysan qui leur est attaché et ceux que l'on appelle les «dissidents» (orthodoxes et réformés). Les idéaux religieux affichés cachent la volonté de voir se perpétuer les privilèges d'antan. Après avoir soutenu cette opposition et obtenu la satisfaction d'une partie des revendications, Catherine II fait volte-face et tente de briser le mouvement. Elle refusait d'envisager la Pologne indépendante à majorité catholique, qu'il préfigurait.

Rousseau accepte de se faire le porte-parole de la Pologne déchirée

En cet automne 1770, Jean-Jacques reçoit la visite de Wielhorski que des amis lui avaient présenté quelques années auparavant. Il lui a été recommandé par Rulhière (auteur d'une *Histoire de la Pologne*). Wielhorski est porteur d'une mission précise : il est l'émissaire de la Pologne en lutte.

Rousseau accepte de soutenir le combat de cette nation, s'entretient régulièrement avec Wielhorski et, durant tout l'hiver 1770-1771, se met au travail. Il retrouve les accents du *Contrat social* et tente – à partir de la situation confuse et contradictoire qu'on lui a communiquée – de conjoindre démocratie directe et parlement, roi et souverain, démocratie nobiliaire et démocratie populaire. Il s'attache à reformuler la question de l'identité nationale de la Pologne, insistant sur l'idée de patrie, sur sa défense et son unité autour d'un parlement (la Diète) et d'un souverain (le roi), comme expression de la volonté populaire. Rousseau incite les Polonais à se regrouper, pour le moment, autour du roi S. A. Poniatowski – hier «criminel», aujourd'hui «malheureux» – quitte à le remplacer plus tard.

En juin 1771, Rousseau livre son manuscrit à ses interlocuteurs. A eux d'en faire le meilleur usage, mais l'avenir de la Pologne est sombre, la tutelle russe prégnante, le démembrement proche et l'opposition affaiblie. Pourtant, il gardera toujours vive son estime pour ce peuple en lutte.

Bernardin de Saint-Pierre, de retour des îles fait partie des rares amis à marquer encore quelque empressement auprès de Rousseau. Il lui voue une admiration illimitée et se déclare son disciple. Ils se promènent souvent ensemble et correspondent. Cet ancien ingénieur, grand sillonneur des océans, s'intéresse à tout : botanique, philosophie, politique, etc. La filiation entre Rousseau et Bernardin de Saint-Pierre se manifeste parfois sous des traits caricaturaux dans des œuvres comme *Paul et Virginie* (1787).

La Pologne lui a fait oublier Paris, mais Paris se rappelle à lui

Il reste enfermé, copie de la musique et compose parfois quelques chansons. Rousseau vit à présent dans un cinquième étage de la rue Plâtrière, à quelques mètres de son précédent domicile. Il n'attend plus rien, sinon le silence; Thérèse protège son isolement. Seuls, quelques amis peuvent encore s'entretenir avec lui : notamment Bernardin de Saint-Pierre. On lui trouve de la copie pour lui assurer un revenu décent.

La thèse du complot l'a quitté un temps, mais elle le reprend avec les commérages parisiens. Il lui faut s'expliquer et, de 1772 à 1776, il va répondre à ses détracteurs. Pendant quatre ans, il instruit le procès de ses adversaires, accumulant de nouvelles preuves de la fourberie de certains et de l'innocence de son nom.

Tous craignent la publication des *Confessions*. D'Alembert, Diderot, Mme d'Epinay, Voltaire, Grimm, de Choiseul se liguent contre l'illustre solitaire. Rousseau est toujours décrété de prise de corps et le moindre zèle de la police peut le priver de liberté. Pis encore, on trahit sa pensée. Rien de ce que l'on a écrit ou dit de lui n'est acceptable, pas un seul de ses portraits n'est ressemblant.

«Il fallait que je dise de quel œil, si j'étais un autre, je verrais un homme tel que je suis»

Pour renverser cette image pernicieuse, il va rétablir la vérité grâce au regard d'un autre. C'est ce dédoublement qu'il donne à voir à un tiers – le Français – dans une nouvelle confession qu'il désespère de pouvoir faire entendre. C'est d'ailleurs à une autre trinité, sur le grand autel de Notre-Dame de Paris, qu'il veut présenter ce nouveau manuscrit – *Rousseau juge de Jean-Jacques* – un jour de février 1776. Mais le refus du monde est scellé, tout est consommé : le chœur, ce jour-là, est fermé.

L'ostentation du geste de Rousseau à Notre-Dame est le signe désespérant de sa profonde solitude. «Dans cette situation, trompé dans tous mes choix et ne trouvant plus que perfidie et fausseté parmi les hommes, mon âme exaltée par le sentiment de son innocence et par celui de leur iniquité s'éleva par son élan jusqu'au siège de tout ordre et de toute vérité, pour y chercher les ressources que je n'avais plus ici-bas. Ne pouvant plus me confier à aucun homme qui me trahit, je résolus de me confier uniquement à la Providence et de remettre à elle seule l'entière disposition du dépôt que je désirais laisser en de sûres mains.» *(Rousseau juge Jean-Jacques)*

Dans la neuvième promenade des *Rêveries du promeneur solitaire*, Rousseau dit souffrir de son aspect hideux, déformé par la vieillesse, qui éloigne les enfants. Il voudrait jouir de leur regard bienveillant, mais ce réconfort lui est chichement compté. «Oh! Si j'avais encore quelques moments de pures caresses qui vinssent du cœur ne fût-ce que d'un enfant encore en jaquette, si je pouvait voir encore dans quelques yeux la joie et le contentement d'être avec moi que j'y voyais jadis si souvent ou du moins dont je serais cause, de combien de maux et de pertes ne me dédommageraient pas ces courts mais doux épanchements de mon cœur?»

Il reste ces Français, dans la rue, à qui il distribue un message : *A tout Français aimant encore la justice et la vérité*. Seul, le peuple de rencontre peut témoigner de l'injustice qui le frappe : «Mais ce que je veux et qui m'est dû tout au moins après une condamnation si cruelle et si infamante, c'est qu'on m'apprenne enfin quels sont ces crimes, et comment et par qui j'ai été jugé.»

C'est un homme abattu qui tente encore quelques promenades avec Bernardin de Saint-Pierre, un de ses derniers amis, qui compose de la musique et la chante, qui trouve la force d'applaudir un opéra de Gluck et qui erre dans la campagne pour herboriser – passion à laquelle il revient au point de constituer, en ces dernières années, pour Mme Delessert et sa fille Madelon, un ensemble de *Lettres sur la botanique*.

A l'occasion de ses promenades pour la rédaction des *Rêveries*, Rousseau griffonne quelques notes sur des cartes à jouer. Nous en avons vingt-sept (d'autres ont été probablement perdues). L'écriture de Rousseau révèle une force décuplée par la hâte : quelques phrases, une sentence, une idée, un ressentiment sont jetés sur ces cartes. Tout doit être écrit pour faire état de l'effort de cette pensée qui se veut – une dernière fois – authentique. Le temps des traités est révolu, cette œuvre est écrite. Il s'agit à présent d'accentuer les moments importants de sa vie, d'en suivre le cours, d'en repérer les constantes et de les faire valoir comme l'épreuve de sa vie.

Les derniers mots pour les derniers pas

«Tout est fini pour moi sur la terre. On ne peut plus m'y faire ni bien ni mal. Il ne me reste plus rien à espérer ni à craindre en ce monde, et m'y voilà tranquille au fond de l'abîme, pauvre mortel infortuné, mais impassible comme Dieu même.»

Il n'a plus personne à qui parler. Il se mure dans sa solitude et n'aspire qu'à réentendre la seule voix de son cœur pour en jouir définitivement. Il en trace les méandres dans un dernier texte, fragmenté et inachevé, *Les Rêveries du promeneur solitaire,* où se rassemblent une dernière fois les traits de sa vie : le complot, les enfants, la nature, le bonheur de l'imagination, la botanique, Mme de Warens, bref des bribes de souvenirs. Jean-Jacques n'a plus personne à convaincre, sinon lui-même devant Dieu : «Dieu est juste; il veut que je souffre; et il sait que je suis innocent.»

Cette aquarelle de G.-F. Mayer eut un immense succès. On lui connaît un nombre considérable de copies plus ou moins fidèles, comme si on avait voulu garder présent à l'esprit des générations futures ce témoignage de la silhouette du sage d'Ermenonville herborisant avant qu'elle ne s'évanouisse. Mayer résidait à Ermenonville et enseignait le dessin aux enfants de l'hôte de Rousseau : le marquis de Girardin.

Maison du Pecheur
Profil de la Maison
du Philosophe

C'est dans cette maison, à l'intérieur du parc d'Ermenonville, que Rousseau vécut ses cinq dernières semaines. Ce parc est le résultat d'un projet ambitieux du marquis de Girardin formulé dans un ouvrage dont le titre éclaire le sens : *De la composition des paysages sur le terrain ou des moyens d'embellir la nature près des habitations en y joignant l'agréable et l'utile.*

Cette voix qui se dérobe à toute saisie de la raison, il lui faut la connaître, faire le pari de l'écrire une dernière fois, l'éloigner du bruit pour la rencontrer dans l'épure d'une proximité à la nature.

M. de Girardin l'a convié, avec Thérèse, à accepter une demeure à Ermenonville. Jean-Jacques reprend la rédaction des *Rêveries,* herborise avec le fils de son hôte et s'entretient avec l'abbé Brizard. On lui annonce la mort de Voltaire (30 mai 1778). Un

pressentiment sinistre lui fait dire : «C'est avec une admirable lucidité que mon existence était attachée à la sienne : il est mort, je ne tarderai pas à le suivre.»

Le 2 juillet 1778, une journée comme toutes les autres, consacrée à la promenade, à la musique et à l'écriture qui ne devait pourtant jamais s'achever : avant la fin de la matinée, seul avec Thérèse, pris de malaise, Jean-Jacques s'écroule, mort, confronté à l'ultime silence.

«Ma chère femme, rendez-moi le service d'ouvrir la fenêtre afin que j'aie le bonheur de voir encore une fois la verdure. Comme elle est belle! Que ce jour est pur et serein! O que la nature est grande! Voyez ce soleil dont il semble que l'aspect riant m'appelle. Voyez vous-même cette lumière immense, voilà Dieu; oui Dieu lui-même qui m'ouvre son sein et qui m'invite enfin à aller goûter cette paix éternelle et inaltérable que j'avais tant désirée.» Vraies ou fausses, ces paroles seraient les dernières prononcées par Rousseau; du moins l'histoire s'en est satisfaite.

J. J.
Rousseau

TÉMOIGNAGES ET DOCUMENTS

Le discours de soi

« Je me peindrai sans fard, et sans modestie, je me montrerai à vous tel que je me vois, et tel que je suis, car, passant ma vie avec moi, je dois me connaître et je vois par la manière dont ceux qui pensent me connaître interprètent mes actions et ma conduite qu'ils n'y connaissent rien. »

J. J. ROUSSEAU,
Né à Genève en 1712.

Sous le regard des autres, Rousseau ne cesse de réclamer justice, jusqu'à entreprendre un total dévoilement de lui-même, dont le parcours répété signifie la difficulté : pas moins de quatre textes à partir de 1742, des « Lettres à Malesherbes » (1762) jusqu'aux « Rêveries du promeneur solitaire » (1778) en passant par « Les Confessions » (1771) et « Rousseau juge de Jean-Jacques » (1778), pour parfaire cette « entreprise qui n'eut jamais d'exemple ».

Si Jean-Jacques se met à parler sur lui-même, c'est parce qu'il est, dès le commencement, dans la situation de celui qui a *déjà* été jugé, et qui en appelle de ce jugement. [...] Jusqu'à ce qu'il ait « tout dit », il veut être mis au bénéfice d'un doute provisoire. « Lecteur, suspendez votre jugement... » Il en appelle à un jugement final qui sera enfin juste, enfin véridique. [...] Etre reconnu, pour Rousseau, ce sera essentiellement être justifié, être innocenté. (Mais le seul tribunal dont il ne récusera pas la compétence sera celui de Dieu, en qui seul résident la Justice et la Vérité ; et le seul jugement auquel il acceptera de se soumettre sera le jugement dernier.) Rousseau en appelle donc à une réhabilitation qui viendra sceller indissolublement son existence et son innocence, son être authentique et sa valeur morale. Alors, sous le regard du Juge pour qui justice et vérité sont synonymes, il prendra possession du privilège corrélatif, qui lui donnera, à lui créature *jugée*, la certitude désormais irrévocable qu'exister et être innocent sont deux termes synonymes.

Jean Starobinski,
Jean-Jacques Rousseau, la transparence et l'obstacle,
Gallimard, 1971

« Les Confessions »

Lorsqu'il en commence la rédaction en 1764, Rousseau ne doute plus qu'il est l'objet d'un complot. « Les Confessions » s'adressent à tous ceux qui ont engagé contre lui une campagne de dénigrement et, derrière eux, à tous ceux qui auraient pu avoir quelques échos de cette rumeur.

Je forme une entreprise qui n'eut jamais d'exemple, et dont l'exécution n'aura point d'imitateur. Je veux montrer à mes semblables un homme dans toute la vérité de la nature ; et cet homme, ce sera moi.

Moi seul. Je sens mon cœur et je connais les hommes. Je ne suis fait comme aucun de ceux que j'ai vus ; j'ose croire n'être fait comme aucun de ceux qui existent. Si je ne vaux pas mieux, au moins je suis autre. Si la nature a bien ou mal fait de briser le moule dans lequel elle m'a jeté, c'est ce dont on ne peut juger qu'après m'avoir lu.

Que la trompette du jugement dernier sonne quand elle voudra ; je viendrai ce livre à la main me présenter devant le Souverain Juge. Je dirai hautement : voilà ce que j'ai fait, ce que j'ai pensé, ce que je fus. J'ai dit le bien et le mal avec la même franchise. Je n'ai rien tu de mauvais, rien ajouté de bon, et s'il m'est arrivé d'employer quelque ornement indifférent, ce n'a jamais été que pour remplir un vide occasionné par mon défaut de mémoire ; j'ai pu supposer vrai ce que je savais avoir pu l'être, jamais ce que je savais être faux. Je me suis montré tel que je fus, méprisable et vil quand je l'ai été, bon, généreux, sublime, quand je l'ai été : j'ai dévoilé mon intérieur tel que tu l'as vu toi-même. Etre éternel, rassemble autour de moi l'innombrable foule de mes semblables : qu'ils écoutent mes confessions, qu'ils gémissent de mes indignités, qu'ils rougissent de mes misères. Que chacun d'eux découvre à son tour son cœur aux pieds de ton trône avec la même sincérité ; et puis qu'un seul te dise, s'il l'ose : *je fus meilleur que cet homme-là.*

Les Confessions, livre I.

Il n'a qu'une exigence : tout dire de son âme en souffrance en faisant appel à la vérité, celle du cœur, dans l'authenticité...

Tous les papiers que j'avais rassemblés pour suppléer à ma mémoire et me guider dans cette entreprise, passés en d'autres mains, ne rentreront plus dans les miennes. Je n'ai qu'un guide fidèle sur lequel je puisse compter ; c'est la chaîne des sentiments qui ont marqué la succession de mon être, et par eux celle des événements qui en ont été la cause ou l'effet. J'oublie aisément mes malheurs, mais je ne puis oublier mes fautes, et j'oublie encore moins mes bons sentiments. Leur souvenir m'est trop cher pour s'effacer jamais dans mon cœur. Je puis faire des omissions dans les faits, des transpositions, des erreurs de dates ; mais je ne puis me tromper sur ce que j'ai senti, ni sur ce que mes sentiments m'ont fait faire ; et voilà de quoi principalement il s'agit. L'objet propre de mes confessions est de faire connaître exactement mon intérieur dans toutes les situations de ma vie. C'est l'histoire de mon âme que j'ai promise, et pour l'écrire fidèlement je n'ai pas besoin d'autres mémoires : il me suffit, comme j'ai fait jusqu'ici, de rentrer au-dedans de moi.

Les Confessions, livre VII

Rousseau entreprend la lecture des « Confessions » auprès de ses amis. Le silence clôt cette première tentative.

J'ajoutai ce qui suit dans la lecture que je fis de cet écrit à M. le comte et Mme la comtesse d'Egmont, à M. le prince Pignatelli, à Mme la marquise de Mesme et à M. le marquis de Juigné : « J'ai dit la vérité. Si quelqu'un sait des choses contraires à ce que je viens d'exposer, fussent-elles mille fois prouvées, il sait des mensonges et des impostures, et s'il refuse de les approfondir et de les éclaircir avec moi tandis que je suis en vie, il n'aime ni la justice ni la vérité. Pour moi je le déclare hautement et sans crainte : quiconque, même sans avoir lu mes écrits, examinera par ses propres yeux mon naturel, mon caractère, mes mœurs, mes penchants, mes plaisirs, mes habitudes et pourra me croire un malhonnête homme, est lui-même un homme à étouffer. »

J'achevai ainsi ma lecture et tout le monde se tut. Mme d'Egmont fut la seule qui me parut émue ; elle tressaillit visiblement ; mais elle se remit bien vite, et garda le silence ainsi que toute la compagnie. Tel fut le fruit que je tirai de cette lecture et de ma déclaration. »

Les Confessions, livre XII

« Rousseau juge de Jean-Jacques » ou « Dialogues »

Rousseau est renvoyé à lui-même ; sa parole est restée sans réponse. L'adresse à l'autre s'est révélée vaine. Non seulement on ne l'a pas entendu, mais l'incessant discours de la condamnation demeure toujours plus vivace. Rousseau va donc mettre à plat les pièces du procès qu'on lui a intenté et répondre à tous ces traits de médisance, point par point. Pour ce faire, il construit un nouveau dispositif : une structure à trois personnages, le Français, Rousseau et Jean-Jacques. Le Français est l'expression de la parole sociale, celle qui construit tous les procès et véhicule toutes les rumeurs.

Rousseau n'est autre que la figure honnête de lui-même, juge de sa propre œuvre, et enfin Jean-Jacques, sujet de la controverse entre le Français et Rousseau, dont la figure réelle se détachera – si l'honnêteté triomphe – pour la postérité.

ROUSSEAU

Mais, monsieur, à ce compte, cet homme chargé de tant de crimes n'a donc jamais été convaincu d'aucun ?

LE FRANÇAIS

Eh non vraiment ! C'est encore un acte de l'extrême bonté dont on use à son égard, de lui épargner la honte d'être confondu. Sur tant d'invincibles preuves n'est-il pas complètement jugé sans qu'il soit besoin de l'entendre ? Où règne l'évidence du délit la conviction du coupable n'est-elle pas superflue ? Elle ne serait pour lui qu'une peine de plus. En lui ôtant l'inutile liberté de se défendre, on ne fait que lui ôter celle de mentir et calomnier.

ROUSSEAU

Ah, grâces au ciel, je respire ! Vous délivrez mon cœur d'un grand poids.

LE FRANÇAIS

Qu'avez-vous donc ? D'où vous naît cet épanouissement subit après l'air morne et pensif qui ne vous a point quitté durant tout cet entretien, et si différent de l'air jovial et gai qu'ont tous nos messieurs quant ils parlent de J.-J. et de ses crimes ?

ROUSSEAU

Je vous l'expliquerai, si vous avez la patience de m'entendre ; car ceci demande encore des digressions.

Vous connaissez assez ma destinée

pour savoir qu'elle ne m'a guère laissé goûter les prospérités de la vie : je n'y ai trouvé ni les biens dont les hommes font cas, ni ceux dont j'aurais fait cas moi-même ; vous savez à quel prix elle m'a vendu cette fumée dont ils sont si avides, et qui, même eût-elle été plus pure, n'était pas l'aliment qu'il fallait à mon cœur. Tant que la fortune ne m'a fait que pauvre je n'ai pas vécu malheureux. J'ai goûté quelquefois de vrais plaisirs dans l'obscurité : mais je n'en suis sorti que pour tomber dans un gouffre de calamités, et ceux qui m'y ont plongé se sont appliqués à me rendre insupportables les maux qu'ils feignaient de plaindre et que je n'aurais pas connus sans eux. Revenu de cette douce chimère de l'amitié dont la vaine recherche a fait tous les malheurs de ma vie, bien plus revenu des erreurs de l'opinion dont je suis la victime, ne trouvant plus parmi les hommes ni droiture, ni vérité, ni aucun de ces sentiments que je crus innés dans leurs âmes parce qu'ils l'étaient dans la mienne, et sans lesquels toute société n'est que tromperie et mensonge, je me suis retiré au-dedans de moi, et vivant entre moi et la nature, je goûtais une douceur infinie à penser que je n'étais pas seul, que je ne conversais pas avec un être insensible et mort, que mes maux étaient comptés, que ma patience était mesurée, et que toutes les misères de ma vie n'étaient que des provisions de dédommagements et de jouissances pour un meilleur état. Je n'ai jamais adopté la philosophie des heureux du siècle ; elle n'est pas faite pour moi ; j'en cherchais une plus appropriée à mon cœur, plus consolante dans l'adversité, plus encourageante pour la vertu. Je la trouvai dans les livres de

J.- J. J'y puisais des sentiments si conformes à ceux qui m'étaient naturels, j'y sentais tant de rapport avec mes propres dispositions que, seul parmi tous les auteurs que j'ai lus, il était pour moi le peintre de la nature et l'historien du cœur humain. Je reconnaissais dans ses écrits l'homme que je retrouvais en moi, et leur méditation m'apprenait à tirer de moi-même la jouissance et le bonheur que tous les autres vont chercher si loin d'eux.

Son exemple m'était surtout utile pour nourrir ma confiance dans les sentiments que j'avais conservés, seul parmi mes contemporains. J'étais croyant, je l'ai toujours été, quoique non pas comme les gens à symboles et à formules. Les hautes idées que j'avais de la divinité me faisaient prendre en dégoût les institutions des hommes et les religions factices. Je ne voyais personne penser comme moi ; je me trouvais seul au milieu de la multitude autant par mes idées que par mes sentiments. Cet état solitaire était triste ; J.-J. vint m'en tirer. Ses livres me fortifièrent contre la dérision des esprits forts. Je trouvais ses principes si conformes à mes sentiments, je les voyais naître de méditations si profondes, je les voyais appuyés de si fortes raisons que je cessai de craindre comme on me le criait sans cesse qu'ils ne fussent l'ouvrage des préjugés et de l'éducation. Je vis que dans ce siècle où la philosophie ne fait que détruire, cet auteur seul édifiait avec solidité. Dans tous les autres livres, je démêlais d'abord la passion qui les avait dictés, et le but personnel que l'auteur avait eu en vue. Le seul J.-J. me parut chercher la vérité avec droiture et simplicité de cœur. Lui seul me parut montrer aux hommes la route du vrai bonheur en leur apprenant à distinguer la réalité de

l'apparence, et l'homme de la nature de l'homme factice et fantastique que nos institutions et nos préjugés lui ont substitué : lui seul en un mot me parut, dans sa véhémence, inspiré par le seul amour du bien public, sans vue secrète et sans intérêt personnel. Je trouvais d'ailleurs sa vie et ses maximes si bien d'accord que je me confirmais dans les miennes et j'y prenais plus de confiance par l'exemple d'un penseur qui les médita si longtemps, d'un écrivain qui, méprisant l'esprit de parti et ne voulant former ni suivre aucune secte, ne pouvait avoir dans ses recherches d'autre intérêt que l'intérêt public et celui de la vérité. Sur toutes ces idées, je me faisais un plan de vie dont son commerce aurait fait le charme, et moi à qui la société des hommes n'offre depuis longtemps qu'une fausse apparence sans réalité, sans vérité, sans attachement, sans aucun véritable accord de sentiments ni d'idées, et plus digne de mon mépris que de mon empressement, je me livrais à l'espoir de retrouver en lui tout ce que j'avais perdu, de goûter encore les douceurs d'une amitié sincère, et de me nourrir encore avec lui de ces grandes et ravissantes contemplations qui font la meilleure jouissance de cette vie et la seule consolation solide qu'on trouve dans l'adversité.

Rousseau juge de Jean-Jacques

Reprendre inlassablement la défense de soi pour se faire entendre...

Je n'espère plus et je désire très peu de voir de mon vivant la révolution qui doit désabuser le public sur mon compte. Que mes persécuteurs jouissent en paix, s'ils peuvent, toute leur vie du bonheur qu'ils se sont fait des misères de la mienne. Je ne désire de les voir ni confondus ni punis; et pourvu qu'enfin la vérité soit connue, je ne demande point que ce soit à leurs dépens : mais je ne puis regarder comme une chose indifférente aux hommes le rétablissement de ma mémoire et le retour de l'estime publique qui m'était due. Ce serait un trop grand malheur pour le genre humain que la manière dont on a procédé à mon égard servît de modèle et d'exemple, que l'honneur des particuliers dépendît de tout imposteur adroit, et que la société, foulant aux pieds les plus saintes lois de la justice, ne fût plus qu'un ténébreux brigandage de trahisons secrètes et d'impostures adoptées sans confrontation, sans contradiction, sans vérification, et sans aucune défense laissée aux accusés. Bientôt les hommes à la merci les uns des autres n'auraient de force et d'action que pour s'entre-déchirer entre eux, sans en avoir aucune pour la résistance, les bons, livrés tout à fait aux méchants, deviendraient d'abord leurs proies, enfin leurs disciples, l'innocence n'aurait plus d'asile, et la terre devenue un enfer ne serait couverte que de démons occupés à se tourmenter les uns les autres. Non, le Ciel ne laissera point un exemple aussi funeste ouvrir au crime une route nouvelle, inconnue jusqu'à ce jour ; il découvrira la noirceur d'une trame aussi cruelle. Un joúr viendra, j'ai la juste confiance, que les honnêtes gens béniront ma mémoire et pleureront sur mon sort.

Rousseau juge de Jean-Jacques

Rousseau, penseur du politique

La pensée politique de Rousseau, bien qu'inscrite dans les débats philosophiques du XVIIIe siècle (tous les Encyclopédistes s'interrogent sur la notion de « droit naturel », sur celle de « volonté générale », de « pacte social ») est à plus d'un titre profondément originale.

Le café Procope. « Notre berceau fut un café ».

Pour Rousseau, il ne s'agit pas seulement de révéler les symptômes de l'injustice sociale, mais de réclamer une « rénovation politique radicale » et de rendre possible un « renouveau éthique radical », de promouvoir les conditions politiques de la dignité de l'homme. Trois œuvres capitales jalonnent les étapes de cette réflexion : le « Discours sur les sciences et les arts » (1751), le « Discours sur l'origine et les fondements de l'inégalité parmi les hommes » (1755) et « Le Contrat social » (1762).

L'homme dans l'état de nature

1753. Rousseau a quarante ans. Son « Discours sur les sciences et les arts » vient d'être couronné par l'académie de Dijon. L'année suivante, un autre sujet est inscrit au concours : « Quelle est l'origine de l'inégalité parmi les hommes, et si elle est autorisée par la loi naturelle ? »
« Frappé de cette grande question, je fus surpris que cette académie eût osé la proposer ; mais puisqu'elle avait eu ce courage, je pouvais bien avoir celui de le traiter, et je l'entrepris. » (« Les Confessions », I, VIII). Si elle a eu le courage de le proposer, l'académie n'aura toutefois pas celui de couronner les thèses audacieuses de Rousseau.
C'est dans cette œuvre, souvent (mal) comprise comme un réquisitoire contre la civilisation, que l'on trouve la célèbre description de l'homme tel qu'il a dû être dans l'« état de nature », que Rousseau légitime ainsi : « Cette [...] étude de l'homme originel, de ses vrais besoins, et des principes fondamentaux de ses devoirs, est encore le seul bon moyen qu'on puisse employer pour lever ces foules de difficultés qui se présentent sur l'origine de l'inégalité morale, sur les vrais fondements du corps politique, sur les droits réciproques de ses membres, et sur mille autres questions semblables, aussi importantes que mal éclaircies. » (Préface.)

Les philosophes qui ont examiné les fondements de la société, ont tous senti la nécessité de remonter jusqu'à l'état de nature, mais aucun d'eux n'y est arrivé. Les uns n'ont point balancé à supposer à l'homme dans cet état, la notion du juste et de l'injuste, sans se soucier de montrer qu'il dût avoir cette notion, ni même qu'elle lui fût utile : d'autres ont parlé du droit naturel que chacun a de conserver ce qui lui appartient, sans expliquer ce qu'ils entendaient par appartenir. D'autres donnant d'abord au plus fort l'autorité sur le plus faible, ont aussitôt fait naître le gouvernement, sans songer au temps qui dut s'écouler avant que le sens des mots d'autorité, et de gouvernement pût exister parmi les hommes : enfin tous, parlant sans cesse de besoin, d'avidité, d'oppression, de désirs, et d'orgueil, ont transporté à l'état de nature, des idées qu'ils avaient prises dans la société ; ils parlaient de l'homme sauvage et ils peignaient l'homme civil. Il n'est pas même venu dans l'esprit de la plupart des nôtres de douter que l'état de nature eût existé, tandis qu'il est évident, par la lecture des livres sacrés, que le premier homme ayant reçu immédiatement de Dieu des lumières et des préceptes, n'était point lui-même dans cet état, et qu'en ajoutant aux écrits de Moïse la foi que leur doit tout philosophe chrétien, il faut nier que, même avant le déluge, les hommes se soient jamais trouvés dans le pur état de nature, à moins qu'ils n'y soient retombés par quelque événement extraordinaire : paradoxe fort embarrassant à défendre, et tout à fait impossible à prouver.

Discours sur l'origine et les fondements de l'inégalité parmi les hommes

Ce « pur état de nature » n'a donc jamais existé ; il n'est l'origine de rien. L'homme dans ce « pur état de nature » est immédiatement dans la nature. Il ne possède aucune des qualités reconnues dans l'homme social. Il n'a pas de langage articulé et commun permettant la compréhension de chacun par chacun ; il n'a que les cris pour s'exprimer, il n'éprouve ni désir – seuls les besoins lui sont connus –, ni amour, ni jalousie, ni admiration, ni crainte de la maladie ou de la mort. Il ne pense pas. Ce qui le distingue de l'animal, c'est que Rousseau lui suppose quatre qualités, antérieures à toute forme de réflexion, virtuelles et en attente de circonstances propres à les mettre en acte : amour de soi, liberté, pitié et perfectibilité.

En dépouillant cet être ainsi constitué de tous les dons surnaturels qu'il a pu recevoir, et de toutes les facultés artificielles qu'il n'a pu acquérir que par de longs progrès ; en le considérant, en un mot, tel qu'il a dû sortir des mains de la nature, je vois un animal moins fort que les uns, moins agile que les autres, mais, à tout prendre, organisé le plus avantageusement de tous. Je le vois se rassasiant sous un chêne, se désaltérant au premier ruisseau, trouvant son lit au pied du même arbre qui lui a fourni son repas ; et voilà ses besoins satisfaits.

Discours sur l'origine et les fondements de l'inégalité parmi les hommes

Le véritable commencement de l'humanité n'est donc pas ce « pur état de nature », mais ce moment fictivement reconstruit par Rousseau en ces termes :

Le premier qui ayant enclos un terrain, s'avisa de dire *ceci est à moi*, et trouva des gens assez simples pour le croire, fut le vrai fondateur de la société civile.

Ibid.

La Divinité du siècle, curieuse allégorie où l'on découvre, sur le bouclier, une allusion à l'*Emile*

La ruse des riches contre les pauvres

Comment donc, à partir de l'« état de nature », l'homme a-t-il pu arriver à créer l'inégalité de conditions que connaît la société ? « Concurrence et rivalité d'une part, de l'autre opposition d'intérêt, et toujours le désir caché de faire son profit aux dépens d'autrui, tous ces maux sont le premier effet de la propriété et le cortège inséparable de l'inégalité naissante. » Après une période heureuse – la « jeunesse du monde » –, où les contradictions sises au cœur de la structure sociale ne sont pas encore écloses, des bouleversements, des inventions et le devenir des communautés peuvent mener les hommes à un état de guerre généralisée au terme duquel sera conclu un premier contrat.

Le riche, pressé par la nécessité, conçut enfin le projet le plus réfléchi qui soit jamais entré dans l'esprit humain.

Ce fut d'employer en sa faveur les forces même de ceux qui l'attaquaient, de faire ses défenseurs de ses adversaires, de leur inspirer d'autre maximes, et de leur donner d'autres institutions qui lui fussent aussi défavorables que le droit naturel lui était contraire.

Dans cette vue, après avoir exposé à ses voisins l'horreur d'une situation qui les armait tous les uns contre les autres, qui leur rendait leurs possessions aussi onéreuses que leurs besoins, et où nul ne trouvait sa sûreté ni dans la pauvreté ni dans la richesse, il inventa aisément des raisons spécieuses pour les amener à son but. « Unissons-nous », leur dit-il, « pour garantir de l'oppression les faibles, contenir les ambitieux, et assurer à chacun la possession de ce qui lui appartient : instituons des règlements de justice et de paix auxquels tous soient obligés de se conformer, qui ne fassent exception de personne, et qui réparent en quelque sorte les caprices de la fortune en soumettant également le puissant et le faible à des devoirs mutuels. En un mot, au lieu de tourner nos forces contre nous-mêmes, rassemblons-les en un pouvoir suprême qui nous gouverne selon de sages lois, qui protège et défende tous les membres de l'association, repousse les ennemis communs, et nous maintienne dans une concorde éternelle. »

Il en faut beaucoup moins que l'équivalent de ce discours pour entraîner des hommes grossiers, faciles à séduire, qui d'ailleurs avaient trop d'affaires à démêler entre eux pour pouvoir se passer d'arbitres, et trop d'avarice et d'ambition pour pouvoir longtemps se passer de maîtres. Tous courent au-devant de leurs fers croyant assurer leur liberté ; car avec assez de raison pour sentir les avantages d'un établissement politique, ils n'avaient pas assez d'expérience pour en prévoir les dangers ; les plus capables de pressentir les abus étaient précisément ceux qui comptaient d'en profiter, et les sages même virent qu'il fallait se résoudre à sacrifier une partie de leur liberté à la conservation de l'autre, comme un blessé se fait couper le bras pour sauver le reste du corps.

Discours sur l'origine et les fondements de l'inégalité parmi les hommes

Le contrat social et la « volonté générale »

C'est au nom du droit que Rousseau, tout à la fois, dénonce l'aliénation et propose, à partir de qualités proprement humaines (raison et volonté), les termes d'un contrat idéal (droit civil), aptes à rendre efficiente la loi du « pur état de nature » (loi naturelle).

Trouver une forme d'association qui défende et protège de toute la force commune la personne et les biens de chaque associé, et par laquelle chacun s'unissant à tous n'obéisse pourtant qu'à lui-même et reste aussi libre qu'auparavant. Tel est le problème fondamental dont le contrat social donne la solution.

Le Contrat social, livre I

[Les] clauses [de ce contrat]... se réduisent toutes à une seule : savoir l'aliénation totale de chaque associé avec tous ses droits à toute la communauté ; car, premièrement, chacun se donnant tout entier, la condition est égale pour tous ; et la condition étant égale pour tous, nul n'a intérêt de la rendre onéreuse aux autres.

Le Contrat social, livre I

La volonté générale devient ainsi le principe qui fonde l'Etat :

Il y a souvent bien de la différence entre la volonté de tous et la volonté générale ; celle-ci ne regarde qu'à l'intérêt commun, l'autre regarde à l'intérêt privé, et n'est qu'une somme de volontés particulières : mais ôtez de ces mêmes volontés les plus et les moins qui s'entredétruisent, reste pour somme des différences la volonté générale. [...] La volonté générale peut seule diriger les forces de l'Etat selon la fin de son institution, qui est le bien commun : car si l'opposition des intérêts particuliers a rendu nécessaire l'établissement des sociétés, c'est l'accord de ces mêmes intérêts qui l'a rendu possible. C'est ce qu'il y a de commun dans ces différents intérêts qui forme le lien social, et s'il n'y avait pas quelque point dans lequel tous les intérêts s'accordent, nulle société ne saurait exister. Or c'est uniquement sur cet intérêt commun que la société doit être gouvernée.

Le Contrat social livre II

Quel intérêt ceux qui n'ont rien ont-ils à adhérer au pacte social ?

Situant d'emblée le problème de l'égalité au niveau du droit, Rousseau ne se donne-t-il pas la facilité de compter pour nulle l'inégalité sociale ? C'est ce que fait remarquer Sade, à une époque (1795) où les révolutionnaires viennent de garantir le respect de la propriété...

A Dieu ne plaise que je veuille attaquer ou détruire ici le serment du respect des propriétés, que vient de prononcer la nation ; mais me permettra-t-on quelques idées sur l'injustice de ce serment ? Quel est l'esprit d'un serment prononcé par tous les individus d'une nation ? N'est-il pas de maintenir une parfaite égalité parmi les citoyens, de les soumettre tous également à la loi protectrice des propriétés de tous ? Or, je vous demande maintenant si elle est bien juste, la loi qui ordonne à celui qui n'a rien de respecter celui qui a tout. Quels sont les éléments du pacte social ? Ne consiste-t-il pas à céder un peu de sa liberté et de ses propriétés pour assurer et maintenir ce que l'on conserve de l'un et de l'autre ?

Toutes les lois sont assises sur ces bases ; elles sont les motifs des punitions infligées à celui qui abuse de sa liberté. Elles autorisent de même les impositions ; ce qui fait qu'un citoyen ne se récrie pas lorsqu'on les exige de lui, c'est qu'il sait qu'au moyen de ce qu'il donne, on lui conserve ce qui lui reste ; mais, encore une fois, de quel droit celui qui n'a rien s'enchaînera-t-il sous un pacte qui ne protège que celui qui a tout ? Si vous faites un acte d'équité en conservant, par votre serment, les propriétés du riche, ne faites-vous pas une injustice en exigeant ce serment du « conservateur » qui n'a rien ? Quel intérêt celui-ci a-t-il à votre serment ? Et pourquoi voulez-vous qu'il promette une chose uniquement favorable à celui qui diffère autant de lui par ses richesses ? Il n'est assurément rien de plus injuste : un serment doit avoir un effet égal sur tous les individus qui le prononcent ; il est impossible qu'il puisse enchaîner celui qui n'a aucun intérêt à son maintien, parce qu'il ne serait plus alors le pacte d'un peuple libre : il serait l'arme du fort sur le faible, contre lequel celui-ci devrait se révolter sans cesse ; or c'est ce qui arrive dans le serment du respect des propriétés que vient d'exiger la nation ; le riche seul y enchaîne le pauvre, le riche seul a intérêt au serment que prononce le pauvre avec tant d'inconsidération qu'il ne voit pas qu'au moyen de ce serment, extorqué à sa bonne foi, il s'engage à faire une chose qu'on ne peut pas faire vis-à-vis de lui.

Sade,
La Philosophie dans le boudoir,
« Français, encore un effort
si vous voulez être républicains »,
1795

Le devoir fondamental de l'Etat

Dans sa critique, le philosophe contemporain Ernst Cassirer souligne que si, pour Rousseau, le rôle de l'Etat est de garantir l'égalité juridique et morale entre les hommes, l'inégalité de la propriété n'est qu'un fait secondaire.

Il n'y a plus de liberté lorsque l'on exige la soumission à la volonté d'un seul ou d'une oligarchie qui n'est jamais autre chose qu'un groupement de volontés individuelles. Le seul pouvoir « légitime », c'est le pouvoir qu'exerce le *principe* de la légitimité en tant que tel, l'*idée de la loi elle-même*, par-delà les volontés particulières. Cette idée ne prend jamais en compte l'individu en tant que tel, dans son existence particulière, mais seulement en tant que membre de la communauté, en tant qu'organe participant de la volonté générale. Aucun privilège particulier ne peut être concédé à un individu en tant que personne particulière ; aucune contribution spéciale ne peut être exigée de lui. En ce sens-là, la loi ne s'autorise aucun « égard pour la personne ». Un contrat qui admettrait pour contractants non pas tout homme, mais seulement ceux-ci ou ceux-là s'annulerait ainsi de lui-même. *Au sein du* droit, pas plus qu'*en vertu du* droit, il ne peut et il ne saurait y avoir d'exception ; en revanche, toute exception à laquelle seraient soumis des citoyens particuliers ou des classes déterminées ruinerait *ipso facto* l'idée même de droit et d'État : il y aurait rupture du pacte social et retour à l'état de nature qui, dans ce cas, n'est pas autre chose que le règne de la violence pure.

En ce sens, le devoir fondamental qui incombe en propre à l'État est de substituer à l'inégalité *physique* entre les hommes – qui, elle, est inévitable – l'égalité juridique et morale. On ne peut remédier à l'inégalité physique et il n'y a pas lieu de la déplorer. Rousseau considère que l'inégalité de la propriété en fait également partie, laquelle, considérée uniquement pour elle-même, c'est-à-dire en tant que répartition différente des *biens*, ne joue à ses yeux qu'un rôle secondaire et accessoire. Jamais le *Contrat social* ne développe d'idée proprement *communiste*. L'inégalité de la propriété est un *adiaphoron*, un état de fait que l'homme peut accepter, comme il est bien obligé d'accepter la répartition différentielle des forces et des aptitudes physiques, des dons intellectuels. Là s'arrête le règne de la liberté, et c'est là que commence celui du destin.

Ernst Cassirer,
Le Problème Jean-Jacques Rousseau,
Hachette, 1987

La démocratie : un gouvernement pour les dieux ?

Avec toutes les précautions dont il entoure la mise en œuvre du « Contrat social », Rousseau croit-il possible un régime politique démocratique ? Oui, mais pas pour les hommes. Les théoriciens révolutionnaires qui se réclameront de lui oublieront souvent cette partie du « Contrat social ».

A prendre le terme dans la rigueur de l'acception, il n'a jamais existé de véritable démocratie, et il n'en existera jamais. Il est contre l'ordre naturel que le grand nombre gouverne et que le petit soit gouverné. On ne peut imaginer que le peuple reste incessamment assemblé pour vaquer aux affaires publiques, et l'on voit aisément qu'il saurait établir pour cela des commissions sans que la forme de l'administration change.

En effet, je crois pouvoir poser en principe que quand les fonctions du gouvernement sont partagées entre plusieurs tribunaux, les moins nombreux acquièrent tôt ou tard la plus grande autorité ; ne fût-ce qu'à cause de la facilité d'expédier les affaires, qui les y amène naturellement.

D'ailleurs que de choses difficiles à réunir ne suppose pas ce gouvernement ! Premièrement un Etat très petit où le peuple soit facile à rassembler et où chaque citoyen puisse aisément connaître tous les autres ; secondement une grande simplicité de mœurs qui prévienne la multitude d'affaires et les discussions épineuses ; ensuite beaucoup d'égalité dans les rangs et dans les fortunes, sans quoi l'égalité ne saurait subsister longtemps dans les droits et l'autorité ; enfin peu ou point de luxe ; car, ou le luxe est l'effet des richesses, ou il les rend nécessaires ; il corrompt à la fois le riche et le pauvre, l'un par la possession, l'autre par la convoitise ; il vend la patrie à la mollesse, à la vanité ; il ôte à l'Etat tous ses citoyens pour les asservir les uns aux autres, et tous à l'opinion.

Voilà pourquoi un auteur célèbre [Montesquieu] a donné la vertu pour principe à la République ; car toutes ces conditions ne sauraient subsister sans la vertu : mais faute d'avoir fait les distinctions nécessaires, ce beau génie a manqué souvent de justesse, quelquefois de clarté, et n'a pas vu que l'autorité souveraine étant partout la même, le même principe doit avoir lieu dans tout Etat bien constitué, plus ou

Le peuple de Paris aux Halles, à l'occasion des fêtes pour la naissance du Dauphin.

moins, il est vrai, selon la forme du gouvernement.

Ajoutons qu'il n'y a pas de gouvernement si sujet aux guerres civiles et aux agitations intestines que le démocratique ou populaire, parce qu'il n'y en a aucun qui tende si fortement et si continuellement à changer de forme, ni qui demande plus de vigilance et de courage pour être maintenu dans la sienne. C'est surtout dans cette constitution que le citoyen doit s'armer de force et de constance, et dire chaque jour de sa vie au fond de son cœur ce que disait un vertueux Palatin dans la Diète de Pologne : *Malo periculosam libertatem quam quietum servitium.* [« Je préfère une liberté agitée qu'une servitude tranquille »].

S'il y avait un peuple de dieux, il se gouvernerait démocratiquement. Un gouvernement si parfait ne convient pas à des hommes.

Le Contrat social,
livre IV

Petit cabinet de cire où l'on voit Franklin, Rousseau et Voltaire converser.

Rousseau et l'éducation

Au XVIIe siècle, de nombreux traités (ceux de Moreau de Saint-Elier, de Vandermonde, de Chamousset et du Dr Brouze) montrent que l'enfant est à présent objet de prévention et de promesses sociales. Pourtant, à tous ces essais, Rousseau reproche unanimement d'être les pédagogies correctrices des méfaits d'une supposée origine naturelle. Les réformes pédagogiques de ces nouveaux éducateurs génèrent les raisons de leur nécessité. Cercle vicieux dont Rousseau veut se délivrer. Pas un de ces traités ne trouve grâce à ses yeux.

Pour Rousseau, la société assassine les enfants – même quand elle croit en toute bonne foi les aider – et l'imposture se fait règle de pouvoir. Il faut reprendre tout à ce point où l'homme est enfant, c'est-à-dire au lieu de sa première définition, celle de la nature dans le visage de sa virginité.
Tel l'homme décrit par Rousseau dans le « pur état de nature », sans désir, sans raison, libre et sans prévention, cet enfant est un être de fiction. Toutefois, il n'est pas seulement cette pureté virginale. Il est appelé à rencontrer l'autre dans l'histoire, de sorte qu'il est vain de vouloir le préserver dans un état impossible (retour à cette vie d'avant la raison), de même qu'il est anachronique de lui faire supporter des modèles d'éducation – tel celui de Sparte – inadaptés à sa condition présente dans l'histoire. Loin de l'immobilité de l'origine, il est voué au devenir. Aussi Rousseau le veut-il « sauvage fait pour habiter les villes » !
Son histoire commence par celle de sa naturalité, dont les modes de développement doivent être scrupuleusement observés et respectés, à moins de ne brusquer et d'altérer une évolution dont chacune des étapes est un enjeu pour l'éducateur et l'enfant. Ne pas respecter cette temporalité conduirait à la perversion de l'enfant.

La nature, nous dit-on, n'est que l'habitude. Que signifie cela ? N'y a-t-il pas des habitudes qu'on ne contracte que par force et qui n'étouffent jamais la nature ? Telle est, par exemple, l'habitude des plantes dont on gêne la direction verticale. La plante mise en liberté garde l'inclinaison qu'on l'a forcée à prendre : mais la sève n'a point changé pour cela sa direction primitive, et si la plante continue à végéter, son prolongement redevient vertical. Il en est de même des inclinations des hommes. Tant qu'on reste dans le même état, on peut garder celles qui résultent de l'habitude et qui nous sont le moins naturelles ; mais sitôt que la situation change, l'habitude cesse, et le naturel revient. L'éducation n'est certainement qu'une habitude. Or n'y a-t-il pas des gens qui oublient et perdent leur éducation ? d'autres qui la gardent ? D'où vient cette différence ? S'il faut borner le nom de nature aux habitudes conformes à la nature, on peut s'épargner ce galimatias.

Nous naissons sensibles, et dès notre naissance nous sommes affectés de diverses manières par les objets qui nous environnent. Sitôt que nous avons, pour ainsi dire, la conscience de nos sensations, nous sommes disposés à rechercher ou à fuir les objets qui les produisent, d'abord selon qu'elles nous sont agréables ou déplaisantes, puis selon la convenance ou disconvenance que nous trouvons entre nous et ces objets, et enfin selon les jugements que nous en portons sur l'idée de bonheur ou de perfection que la raison nous donne. Ces dispositions s'étendent et s'affermissent à mesure que nous devenons plus sensibles et plus éclairés : mais, contraintes par nos habitudes, elles s'altèrent plus ou moins par nos opinions. Avant cette altération elles sont ce que j'appelle en nous la nature. (...)

Dans l'ordre naturel les hommes étant tous égaux, leur vocation commune est l'état d'homme, et quiconque est bien élevé pour celui-là ne peut mal remplir ceux qui s'y rapportent. Qu'on destine mon élève à l'épée, à l'église, au barreau, peu m'importe. Avant la vocation des parents la nature l'appelle à la vie humaine. Vivre est le métier que je lui veux apprendre. En sortant de mes mains il ne sera, j'en conviens, ni magistrat, ni soldat, ni prêtre : il sera premièrement homme ; tout ce qu'un homme doit être, il saura l'être au besoin tout aussi bien que qui que ce soit, et la fortune aura beau le faire changer de place, il sera toujours à la sienne.

Notre véritable étude est celle de la condition humaine.

Emile, livre I

Quelle sera la religion d'Émile ?

La religion naturelle s'oppose à toutes les sectes et religions positives, pourvoyeuses de violence et d'intolérance.

Ceux qui nient l'unité d'intention qui se manifeste dans les rapports de toutes les parties de ce grand tout, ont beau couvrir leur galimatias d'abstractions, de coordinations, de principes généraux, de termes emblématiques ; quoi qu'ils fassent, il m'est impossible de concevoir un système d'êtres si constamment ordonnés, que je ne conçoive une intelligence qui l'ordonne.

Émile, livre IV

Je crois donc que le monde est gouverné par une volonté puissante et sage ; je le vois, ou plutôt je le sens, et cela m'importe à savoir.

Émile, livre IV

Cet être qui veut et qui peut, cet être actif par lui-même, cet être enfin, quel qu'il soit, qui meut l'univers et ordonne toutes choses,
je l'appelle Dieu.

Émile, livre IV

La Religion naturelle. Il est bien étrange qu'il en faille une autre ! Par où connaîtrai-je cette nécessité ? De quoi puis-je être coupable en servant Dieu selon les lumières qu'il donne à mon esprit et selon les sentiments qu'il inspire à mon cœur ? Quelle pureté de morale, quel dogme utile à l'homme et honorable à son auteur puis-je tirer d'une doctrine positive que je ne puisse tirer sans elle du bon usage de mes facultés ? Montrez-moi ce qu'on peut ajouter pour la gloire de Dieu, pour le bien de la société et pour mon propre avantage aux devoirs de la loi naturelle, et quelle vertu vous ferez naître d'un nouveau culte, qui ne soit pas une conséquence du mien ? Les plus grandes idées de la divinité nous viennent par la raison seule. Voyez le spectacle de la nature, écoutez la voix intérieure. Dieu n'a-t-il pas tout dit à nos yeux, à notre conscience, à notre jugement ? Qu'est-ce que les hommes nous diront de plus ? Leurs révélations ne font que dégrader Dieu en lui donnant les passions humaines. Loin d'éclaircir les notions du grand Etre, je vois que les dogmes particuliers les embrouillent, que loin de les ennoblir ils les avilissent, qu'aux mystères inconcevables qui l'environnent ils ajoutent des contradictions absurdes ; qu'ils rendent l'homme orgueilleux, intolérant, cruel, qu'au lieu d'établir la paix sur la Terre ils y portent le fer et le feu. Je me demande à quoi bon tout cela, sans savoir me répondre. Je n'y vois que les crimes des hommes et les misères du genre humain.

Émile, livre IV

Les magistrats et les prêtres sont-ils les maîtres du bien et du mal ?

Dans son « Supplément au voyage de Bougainville », publié trente ans plus tard (1796), Diderot met dans la bouche d'Orou, un sage tahitien qui ne comprend rien aux coutumes « civilisées », une défense vibrante des « lois naturelles » sur lesquelles Rousseau fondait son éducation.

OROU – Crois-moi, vous avez rendu la condition de l'homme pire que celle de l'animal. Je ne sais ce que c'est que ton grand ouvrier * : mais je me réjouis qu'il n'ait point parlé à nos pères, et je souhaite qu'il ne parle point à nos enfants ; car il pourrait par hasard leur dire les mêmes sottises, et ils feraient peut-être celle de le croire. Hier, en soupant, tu nous as entretenus de magistrats et de prêtres ; je ne sais quels sont ces personnages que tu appelles *magistrats* et *prêtres*, dont l'autorité règle votre conduite ; mais, dis-moi, sont-ils maîtres du bien et du mal ? Peuvent-ils faire que ce qui est juste soit injuste, et que ce qui est injuste soit juste ? Dépend-il d'eux d'attacher le bien à des actions nuisibles, et le mal à des actions innocentes ou utiles ? Tu ne saurais le penser, car, à ce compte, il n'y aurait ni vrai ni faux, ni bon ni mauvais, ni beau ni laid ; du moins, que ce qu'il plairait à ton grand ouvrier, à tes magistrats, à tes prêtres, de prononcer tel ; et, d'un moment à l'autre, tu serais obligé de changer d'idées et de conduite. Un jour l'on te dirait, de la part de l'un de tes trois maîtres : *tue*, et tu serais obligé, en conscience, de tuer ; un autre jour : *vole*, et tu serais tenu de voler ; ou : *ne mange pas de ce fruit*, et tu n'oserais en manger ; *je te défends ce légume ou cet animal*, et tu te garderais d'y toucher. Il n'y a point de bonté qu'on ne pût t'interdire ; point de méchanceté qu'on ne pût t'ordonner. [...]

Tu es en délire, si tu crois qu'il n'y ait rien, soit en haut, soit en bas, dans l'univers, qui puisse ajouter ou retrancher aux lois de la nature. Sa volonté éternelle est que le bien soit préféré au mal, et le bien général au bien particulier. Tu ordonneras le contraire ; mais tu ne seras pas obéi. Tu multiplieras les malfaiteurs et les malheureux par la crainte, par les châtiments et par les remords ; tu dépraveras les consciences ; tu corrompras les esprits ; ils ne sauront plus ce qu'ils ont à faire ou à éviter. Troublés dans l'état d'innocence,

* Dieu.

tranquilles dans le forfait, ils auront perdu l'étoile polaire dans leur chemin.

Diderot,
Supplément au voyage de Bougainville,
1796

« Conscience, conscience, instinct divin... »

Ce que l'éducation doit développer, ce sont donc les principes innés « de justice et de vérité morale » déposés en nous par la nature, en veillant à ce que les maximes sociales ne viennent pas étouffer cet instinct divin.

Je n'ai pas dessein d'entrer ici dans des discussions métaphysiques qui ne mènent à rien. Je vous ai déjà dit que je ne voulais point disputer avec les philosophes, mais parler à votre cœur ; quand tous les philosophes du monde prouveraient que j'ai tort, si vous sentez que j'ai raison, je n'en veux pas davantage. Il ne faut pour cela que vous faire distinguer nos perceptions acquises de nos sentiments naturels ; car nous sentons nécessairement avant que de connaître, et comme nous n'apprenons point à vouloir notre bien personnel et à fuir notre mal, mais tenons cette volonté de la nature, de même l'amour du bon et la haine du mauvais nous sont aussi naturels que notre propre existence ; ainsi, quoique les idées nous viennent du dehors, les sentiments qui les apprécient sont au-dedans de nous, et c'est par eux seuls que nous connaissons la convenance ou la disconvenance qui existe entre nous et les choses que nous devons rechercher ou fuir.

Exister, pour nous, c'est sentir ; et notre sensibilité est incontestablement antérieure à notre raison même. Quelle que soit la cause de notre existence, elle a pourvu à notre conservation en nous donnant des sentiments conformes à notre nature ; et l'on ne saurait nier qu'au moins ceux-là ne soient innés. Ces sentiments eu égard à l'individu sont l'amour de soi-même, la crainte de la douleur et de la mort, et le désir du bien-être. Mais si, comme on n'en peut douter, l'homme est un animal sociable par sa nature ou du moins fait pour le devenir, il ne peut l'être que par d'autres sentiments innés relatifs à son espèce. Et c'est du système moral formé par ce double rapport à soi-même et à ses semblables que naît l'impulsion naturelle de la conscience.

Ne pensez donc pas, ô Sophie, qu'il fût impossible d'expliquer par des conséquences de notre nature le principe actif de la conscience, indépendant de la raison même. Et quand cela serait impossible, encore ne serait-il pas nécessaire. Car les philosophes qui combattent ce principe ne prouvent point qu'il n'existe pas, mais se contentent de l'affirmer ; quand nous affirmons qu'il existe, nous sommes donc aussi avancés qu'eux et nous avons de plus toute la force du témoignage intérieur et la voix de la conscience qui dépose pour elle-même. [...]

Conscience, conscience, instinct divin, voix immortelle et céleste, guide assuré d'un être ignorant et borné mais intelligent et libre, juge infaillible du bien et du mal, sublime émanation de la substance éternelle, qui rends l'homme semblable aux dieux ; c'est toi seule qui fais l'excellence de ma nature.

Sans toi, je ne sens rien en moi qui m'élève au-dessus des bêtes, que le triste privilège de m'égarer d'erreurs en erreurs à l'aide d'un entendement sans règle et d'une raison sans principe.

Lettres morales à Sophie

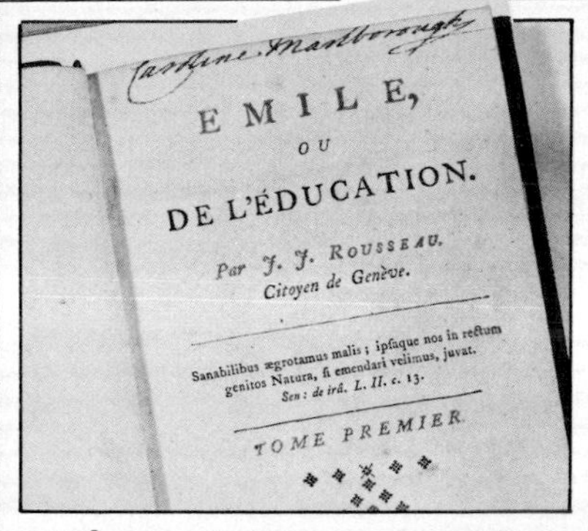
EMILE,
OU
DE L'ÉDUCATION.
Par J. J. ROUSSEAU,
Citoyen de Genève.
Sanabilibus ægrotamus malis ; ipsaque nos in rectum genitos Natura, si emendari velimus, juvat.
Sen : de irâ. L. II. c. 13.
TOME PREMIER

L'« Émile » brûlé en place publique

En 1762, de tels principes ne pouvaient que choquer. L'« Émile » fut condamné par le parlement de Paris et brûlé. Rousseau fut obligé de s'enfuir. Les Genevois, eux, brûlèrent en une seule fournée l'« Émile » et « Du contrat social »... Les « Mémoires secrets » de Bachaumont se font l'écho de cette polémique.

30 juin 1762. Actuellement que le livre de Rousseau est fort répandu, puisque tout Paris l'a lu, on peut former un résultat des jugements sur ce livre, qui ne sont point aussi divers qu'on pourrait le présumer à l'égard d'un ouvrage aussi singulier.

Tout le monde convient que ce traité d'éducation est d'une exécution impossible, et l'auteur n'en disconvient pas lui-même. Pourquoi donc faire un livre, sous prétexte d'être utile, lorsqu'on sait qu'il ne servira à rien ? Ensuite, les seules choses judicieuses qui y soient sont en grande partie des remarques faites généralement, tirées des différents livres écrits sur cette matière, et surtout de celui de Locke, que Rousseau affecte de mépriser. En troisième lieu, l'auteur ne fait dans tout son livre que détruire l'objet pour lequel il écrit. C'est un traité d'éducation, c'est-à-dire des préceptes pour élever un enfant dans l'état social, lui apprendre ses devoirs vis-à-vis de Dieu, et de ses semblables ; et dans ce traité on anéantit toute religion, on détruit toute société. Cet élève, orné de toutes les vertus, enrichi de tous les talents, finit par être un misanthrope dégoûté de tous les états, qui n'en remplit aucun, et va planter des choux à la campagne et faire des enfants à sa femme.

Dans le premier volume l'auteur prend son élève *ab ovo*. Il veut qu'on ne l'emmaillotte point, et qu'une mère nourrisse son enfant. Il déclame beaucoup contre la médecine, et fait le médecin à chaque instant ; il ne veut point se charger d'un élève qui serait délicat ; ainsi son traité est à l'usage des enfants bien faits et vigoureux. La plupart des préceptes qu'il débite sont très bons, mais tirés de toutes les thèses soutenues dans la Faculté depuis plusieurs années. Il ne veut pas que l'homme mange de la viande, parce qu'il veut traduire un morceau très éloquent prétendu de Plutarque, où il peint la gent carnassière sous l'aspect le plus cruel. Il a oublié d'avoir démontré antérieurement, dans son *Discours de l'inégalité des conditions*, que l'homme était un carnivore par sa construction physique. Enfin, il laisse son élève sans rien faire jusqu'à l'âge de puberté. Il veut qu'il joue, et fasse ses volontés, afin que, s'il vient à mourir, il n'ait point à se plaindre de n'avoir vécu que dans les larmes. On sent que ce premier volume pourrait se réduire à peu de chose, si l'on s'en tenait aux simples maximes usuelles qu'il y débite. C'est donc par un talent rare qu'il a le secret d'enchaîner son lecteur et de l'empêcher de voir le vide de ce livre.

Bachaumont,
Mémoires secrets, 1762-1771

Rousseau le misanthrope ?

Rousseau a été le centre de toutes les polémiques fondées ou infondées. Plus de deux siècles après sa mort, leurs échos se font encore entendre. Dès la publication de ses premiers ouvrages, et a fortiori pour ceux qui furent condamnés, leur retentissement fut tel que Rousseau dut se défendre des malveillances, corriger des mésinterprétations, voire tempérer de trop ardents zélateurs.

Le retour à la nature ou les enjeux de la culture.

Nombreux sont ceux qui crurent que Rousseau se faisait l'initiateur d'un retour à la nature, c'est-à-dire d'un retour au premier âge de l'humanité. C'est ainsi que Voltaire (mais était-il sincère ?) ridiculise les thèses du « Discours sur l'origine et le fondement de l'inégalité parmi les hommes » ; il semble d'ailleurs lui associer dans un même opprobre le « Discours sur les sciences et les arts » (1750), dans lequel Rousseau démontre que l'humanité dans le devenir de son histoire n'a fait que courir à sa perte. Les sciences et les arts – vaine intelligence expressive de cette socialisation – , loin d'être les dépositaires du propre de l'esprit humain, se fondent sur une société inégalitaire et dépravée. Les « ors » des sciences et des arts dissimulent de ténébreuses failles sociales.

VOLTAIRE À ROUSSEAU

30 août 1755

[...] J'avoue avec vous que les belles-lettres et les sciences ont causé quelquefois beaucoup de mal.

Les ennemis du Tasse firent de sa vie un tissu de malheurs, ceux de Galilée le firent gémir dans les prisons à soixante-dix ans pour avoir connu le mouvement de la terre, et ce qu'il y a de plus honteux c'est qu'ils l'obligèrent à se rétracter.

Dès que vos amis eurent commencé le dictionnaire encyclopédique, ceux qui osaient être leurs rivaux les traitèrent de déistes, d'athées et même de jansénistes. Si j'osais me compter parmi ceux dont les travaux n'ont eu que la persécution pour récompense, je vous ferais voir une troupe de misérables acharnés à me perdre du jour que je donnai *La Tragédie d'Œdipe*, une bibliothèque de calomnies ridicules imprimées contre moi, un prêtre ex-jésuite que j'avais sauvé du dernier supplice me payant par des libelles diffamatoires du service que je lui avais rendu.

Mais Monsieur, avouez aussi que ces épines attachées à la littérature et à la réputation ne sont que des fleurs en comparaison des autres maux qui de tout temps ont inondé la terre. Avouez que ni Cicéron, ni Lucrèce, ni Virgile, ni Horace ne furent les auteurs des proscriptions de Marius, de Sylla, de ce débauché d'Antoine, de cet imbécile Lépide, de ce tyran sans courage Octave Cépias surnommé si lâchement Auguste.

Avouez que le badinage de Marot n'a pas produit la Saint-Barthélemy, et que la tragédie du *Cid* ne causa pas les guerres de la Fronde. Les grands crimes n'ont été commis que par de célèbres ignorants. Ce qui fait et ce qui fera toujours de ce monde une vallée de larmes, c'est l'insatiable cupidité et l'indomptable orgueil des hommes depuis Thamas Couli Can, qui ne savait pas lire, jusqu'à un commis de la douane qui ne sait que chiffrer. Les lettres nourrissent l'âme, la rectifient, la consolent ; et elles font même votre gloire dans le temps que vous écrivez contre elles. Vous êtes comme Achille qui s'emporte contre la gloire, et comme le père Malebranche dont l'imagination brillante écrivait contre l'imagination.

Monsieur Chapui m'apprend que votre santé est bien mauvaise. Il faudrait la venir rétablir dans l'air natal, jouir de la liberté, boire avec moi du lait de nos vaches, et brouter nos herbes. Je suis très philosophiquement, et avec la plus tendre estime.

ROUSSEAU À VOLTAIRE

10 septembre 1755

C'est à moi, Monsieur, de vous remercier à tous égards. En vous offrant l'ébauche de mes tristes rêveries, je n'ai point cru vous faire un présent digne de vous, mais m'acquitter d'un devoir et vous rendre un hommage que nous vous devons tous comme à notre chef. [...]

Je conviens de toutes les disgrâces qui poursuivent les hommes célèbres dans les lettres ; je conviens même de tous les maux attachés à l'Humanité et qui semblent indépendants de nos vaines connaissances. Les hommes ont ouvert sur eux-mêmes tant de sources de misères, que quand le hasard en détourne quelqu'une, ils n'en sont guère moins inondés. D'ailleurs il y a dans le progrès des choses des liaisons cachées que le vulgaire n'aperçoit pas, mais qui n'échapperont point à l'œil du sage quand il y voudra réfléchir. Ce n'est ni Térence, ni Cicéron, ni Virgile, ni Sénèque, ni Tacite ; ce ne sont ni les savants ni les poètes qui ont produit les malheurs de Rome et les crimes des Romains : mais sans le poison lent et secret qui corrompait peu à peu le plus vigoureux gouvernement dont l'histoire ait fait mention, Cicéron ni Lucrèce, ni Salluste n'eussent point existé ou n'eussent point écrit. [...]

Mais en ce siècle savant, on ne voit que boiteux vouloir apprendre à marcher aux autres. Le peuple reçoit les écrits des sages pour les juger, non pour s'instruire. Jamais on ne vit tant de dandins. Le Théâtre en fourmille, les cafés retentissent de leurs sentences ; ils les affichent dans les journaux, les quais sont couverts de leurs écrits. [...]

Recherchons la première source des désordres de la société, nous trouverons que tous les maux des hommes leur viennent de l'erreur bien plus que de l'ignorance, et que ce que nous ne savons point nous nuit beaucoup moins que ce que nous croyons savoir. Or quel plus sûr moyen de courir d'erreurs en erreurs que la fureur de savoir tout ? Si l'on n'eût prétendu savoir que la terre ne tournait pas, on n'eût point puni Galilée pour avoir dit qu'elle tournait. Si les seuls philosophes en eussent réclamé le titre, l'Encyclopédie n'eût point eu de persécuteurs. Si cent myrmidons n'aspiraient à la gloire, vous jouiriez en paix de la vôtre, ou du moins vous n'auriez que des rivaux dignes de vous.

Ne soyez donc pas surpris de sentir quelques épines inséparables des fleurs qui couronnent les grands talents. Les injures de vos ennemis sont les acclamations satiriques qui suivent le cortège des triomphateurs : c'est l'empressement du public pour tous vos écrits qui produit les vols dont vous vous plaignez : mais les falsifications n'y sont pas faciles, car le fer ni le plomb ne s'allient pas avec l'or. Permettez-moi de vous le dire par l'intérêt que je prends à votre repos et à notre instruction. Méprisez de vaines clameurs par lesquelles on cherche moins à vous faire du mal qu'à vous détourner de bien faire. Plus on vous critiquera, plus vous devez vous faire admirer. Un bon livre est une terrible réponse à des injures imprimées ; et qui vous oserait attribuer des écrits que vous n'aurez point faits, tant que vous n'en ferez que d'inimitables ?

Je suis sensible à votre invitation ; et si cet hiver me laisse en état d'aller au printemps habiter ma patrie, j'y profiterai de vos bontés. Mais j'aimerais mieux boire de l'eau de votre fontaine que du lait de vos vaches, et quant aux herbes de votre verger, je crains bien de n'y en trouver d'autres que le Lotos*, qui n'est pas la pâture des bêtes, et le Moly* qui empêche les hommes de le devenir.

Diderot se fait l'expression de ce reproche de misanthropie, lorsque dans sa pièce « Le Fils naturel » il écrit : « J'en appelle à votre cœur : interrogez-le et il vous dira que l'homme de bien est dans la société, et qu'il n'y a que le méchant qui soit seul. » Rousseau, blessé, s'en ouvre à Diderot.

Il faut, mon cher Diderot, que je vous écrive encore une fois en ma vie : vous ne m'en avez que trop dispensé ; mais le plus grand crime de cet homme que vous noircissez d'une si étrange manière est de ne pouvoir se détacher de vous.

Je suis un méchant homme, n'est-ce pas ? vous en avez les témoignages les

* Plantes aux propriétés magiques célébrées par Homère dans *l'Odyssée*.

plus sûrs ; cela vous est bien attesté. Quand vous avez commencé à l'apprendre, il y avait seize ans que j'étais pour vous un homme de bien, et quarante ans que je l'étais pour tout le monde : en pouvez-vous dire autant de ceux qui vous ont communiqué cette belle découverte ? Si l'on peut porter à faux si longtemps le masque d'un honnête homme, quelle preuve avez-vous que le masque ne couvre pas leur visage aussi bien que le mien ? Est-ce un moyen bien propre à donner du poids à leur autorité que de charger en secret un homme absent, hors d'état de se défendre ? Mais ce n'est pas de cela qu'il s'agit.

Je suis un méchant ; mais pourquoi le suis-je ? Prenez bien garde, mon cher Diderot, ceci mérite votre attention : on n'est pas malfaisant pour rien, s'il y avait quelque monstre ainsi fait, il n'attendrait pas quarante ans à satisfaire ses inclinations dépravées. Considérez donc ma vie, mes passions, mes goûts, mes penchants ; cherchez, si je suis méchant, quel intérêt m'a pu porter à l'être. Moi qui, pour mon malheur, portais toujours un cœur trop sensible, que gagnerais-je à rompre avec ceux qui m'étaient chers ? A quelle place ai-je aspiré ? à quelles pensions, à quels honneurs m'a-t-on vu prétendre ? quels concurrents ai-je à écarter ? Que m'en peut-il revenir de mal faire ? Moi qui ne cherche que la solitude et la paix, moi dont le souverain bien consiste dans la paresse et l'oisiveté, moi dont l'indolence et les maux me laissent à peine le temps de pourvoir à ma subsistance, à quel propos, à quoi bon m'irais-je plonger dans les agitations du crime, et m'embarquer dans l'éternel manège des scélérats ? Quoi que vous en disiez, on ne fuit point les hommes quand on cherche à leur nuire ; le méchant peut méditer ses

coups dans la solitude, mais c'est dans la solitude qu'il les porte. Un fourbe a de l'adresse et du sang-froid ; un perfide se possède et ne s'emporte point : reconnaissez-vous en moi quelque chose de tout cela ? Je suis emporté dans la colère, et souvent étourdi de sang-froid. Ces défauts font-ils le méchant ? Non, sans doute ; mais le méchant en profite pour perdre celui qui les a. [...]

Cependant votre ami gémit dans sa solitude, oublié de tout ce qui lui était cher. Il peut y tomber dans le désespoir, y mourir enfin, maudissant l'ingrat dont l'adversité lui fit tant verser de larmes, et qui l'accable indignement dans la sienne. Il se peut que les preuves de son innocence vous parviennent enfin, que vous soyez forcé d'honorer sa mémoire, et que l'image de votre ami mourant ne vous laisse pas des nuits tranquilles. Diderot, pensez-y. Je ne vous en parlerai plus.

Lettre à Diderot,
Le 2 mars 1758

L'abandon de ses enfants

Que n'a-t-on pas dit et écrit sur l'attitude de Rousseau, au point que pour beaucoup, Rousseau se résume à ce « méfait ». Déjà, de son vivant, on lui reprochait cruellement cet abandon et, maintes fois, il a tenté d'en éclairer les raisons.

Oui, Madame, j'ai mis mes enfants aux Enfants-Trouvés ; j'ai chargé de leur entretien l'établissement fait pour cela. Si ma misère et mes maux m'ôtent le pouvoir de remplir un soin si cher, c'est un malheur dont il faut me plaindre, et non un crime à me reprocher. Je leur dois la subsistance ; je la leur ai procurée meilleure ou plus sûre au moins que je n'aurais pu la leur donner moi-même ; cet article est avant tout. Ensuite, vient la déclaration de leur mère qu'il ne faut pas déshonorer.

Vous connaissez ma situation ; je gagne au jour la journée mon pain avec assez de peine ; comment nourrirais-je encore une famille. [...]

Accablé d'une maladie douloureuse et mortelle, je ne puis espérer encore une longue vie ; quand je pourrais entretenir, de mon vivant, ces infortunés destinés à souffrir un jour, ils paieraient chèrement l'avantage d'avoir été tenus un peu plus délicatement qu'ils ne pourront l'être où ils sont. Leur mère, victime de mon zèle indiscret, chargée de sa propre honte et de ses propres besoins, presque aussi valétudinaire, et encore moins en état de les nourrir que moi, sera forcée de les abandonner à eux-mêmes ; et je ne vois pour eux que l'alternative de se faire décrotteurs ou bandits, ce qui revient bientôt au même. Si du moins leur état était légitime, ils pourraient trouver plus aisément des ressources. Ayant à porter à la fois le déshonneur de leur naissance et celui de leur misère, que deviendront-ils ? [...]

Ce mot d'Enfants-Trouvés vous en imposerait-il, comme si l'on trouvait ces enfants dans les rues, exposés à périr si le hasard ne les sauve ? Soyez sûre que vous n'auriez pas plus d'horreur que moi pour l'indigne père qui pourrait se résoudre à cette barbarie : elle est trop loin de mon cœur pour que je daigne m'en justifier. Il y a des règles établies ; informez-vous de ce qu'elles sont et vous saurez que les enfants ne sortent des mains de la sage-femme que pour passer dans celles d'une nourrice. Je sais que ces enfants ne sont pas élevés délicatement : tant mieux pour eux, ils en deviennent plus robustes ; on ne leur donne rien de superflu, mais ils ont le nécessaire ; on n'en fait pas des messieurs, mais des paysans ou des ouvriers. Je ne vois rien, dans cette manière de les élever, dont je ne fisse choix pour les miens. Quand j'en serais le maître, je ne les préparerais point, par la mollesse, aux maladies que donnent la fatigue et les intempéries de l'air à ceux qui n'y sont pas faits. Ils ne sauraient ni danser ni monter à cheval ; mais ils auraient de bonnes jambes infatigables. Je n'en ferais ni des auteurs ni des gens de bureau ; je ne les exercerais point à manier la plume, mais la charrue, la lime ou le rabot, instruments qui font mener une vie saine, laborieuse, innocente, dont on n'abuse jamais pour mal faire, et qui n'attire point d'ennemis en faisant bien. C'est à cela qu'ils sont destinés ; par la rustique éducation qu'on leur donne, ils seront plus heureux que leur père.

Je suis privé du plaisir de les voir, et je n'ai jamais savouré la douceur des embrassements paternels. Hélas ! je vous l'ai déjà dit, je ne vois là que de quoi me plaindre, et je les délivre de la misère à mes dépens. Ainsi voulait Platon que tous les enfants fussent élevés dans sa république ; que chacun restât inconnu à son père, et que tous fussent les enfants de l'État. Mais cette éducation est vile et basse ! Voilà le grand crime ; il vous en impose comme aux autres ; et vous ne voyez pas que, suivant toujours les préjugés du monde, vous prenez pour le déshonneur du vice ce qui n'est que celui de la pauvreté.

Lettre à Mme de Francueil
20 avril 1751

Pourquoi Rousseau a-t-il abandonné ses enfants ? une explication psychologique

S'il a mis ses enfants à l'assistance, c'est parce qu'ils étaient la conséquence indésirée des plaisirs immédiats qu'il goûtait en toute innocence avec Thérèse. Il a choisi Thérèse pour en faire la servante du besoin immédiat ; il lui a déclaré qu'il ne voulait ni l'abandonner, ni l'épouser : c'était lui dire qu'il désirait vivre auprès d'elle une succession d'instants sans passé et sans avenir. Or la nature joue ici un mauvais tour à Jean-Jacques, car le plaisir immédiat de l'amour physique comporte un lien avec l'avenir, une conséquence, qui est l'enfant. Toutefois Rousseau n'accepte pas de se reconnaître dans la créature qu'il n'avait pas l'intention de procréer. Il refuse cette aliénation, ce *moi* différent qui est pourtant son œuvre... Le refus de la paternité, chez Rousseau, semble n'être que l'expression, en une circonstance particulière, de la crainte plus générale de vivre dans un monde où les actes ont des suites involontaires.

Jean Starobinski,
Jean-Jacques Rousseau, la transparence et l'obstacle
Gallimard,
1971

Rousseau et les idées révolutionnaires

Dans le discours révolutionnaire, Rousseau est une référence constante. Comment ses idées ont-elles pénétré les différentes couches sociales qui ont fait la Révolution, à une époque où la grande majorité de la population était analphabète, et où un tirage comme celui de « La Nouvelle Héloïse » (4 000 exemplaires) était considéré comme exceptionnel ?

Rousseau observant les premiers pas de l'enfance.

Les lectures de la plupart des militants ne paraissent pas être allées au-delà de quelques brochures d'actualité. Les plus instruits eux-mêmes ne semblent pas avoir eu une connaissance directe de la pensée philosophique ou politique du siècle : tout au plus une connaissance indirecte par la presse ou les discours des Jacobins ou des Cordeliers, repris le plus souvent dans les sociétés populaires de quartier. C'est ainsi vraisemblablement que la pensée de Rousseau finit par imprégner les plus actifs et les plus conscients des militants populaires en l'an II.

Plus encore en effet que la lecture personnelle des ouvrages des philosophes, des discours imprimés ou des journaux, la lecture en public a constitué un moyen efficace de diffusion et d'audience des principaux thèmes philosophiques et révolutionnaires dans les milieux populaires. De nombreux militants, et qui ne savaient ni lire ni écrire, occupèrent des fonctions sectionnaires. Ils étaient imprégnés d'un certain nombre d'idées qui, comme par osmose, circulaient des catégories plus cultivées aux couches sociales les plus humbles. Ainsi s'explique que les théories de Rousseau en matière de souveraineté populaire aient été vaguement partagées par des hommes qui n'avaient jamais lu le *Contrat social.*

Les sociétés populaires qui, au niveau des sections, relayaient les Jacobins, jouèrent en ce domaine un rôle important ; elles contribuèrent efficacement à l'éducation idéologique de la sans-culotterie parisienne. L'*instruction* tenait toujours une place importante dans le déroulement des séances. Lecture des journaux patriotes, des discours prononcés à la Convention ou aux Jacobins, des décrets et des lois, discours civiques ou moraux par des militants, récitation par des enfants de la Déclaration des droits : ainsi commençaient généralement les séances. [...]

L'influence de la presse populaire était elle aussi multipliée par la lecture qu'on en faisait régulièrement le soir dans les sociétés sectionnaires et les assemblées générales : elle exerçait ainsi une influence autrement considérable que ne le laisseraient supposer ses modestes tirages. Bien plus, dans la journée, sur les places publiques ou sur les chantiers, les travailleurs ou les passants se groupaient autour de lecteurs publics. Marat passe pour avoir lu le *Contrat social* au peuple de Paris dès 1788 ; et, au printemps 1789, Camille Desmoulins au Palais-Royal. [...]

Le 1er prairial (20 mai 1795), à dix heures du matin, le tailleur de pierre Closmesnil, juché sur un échafaudage, lisait à plus de cent ouvriers des chantiers du Panthéon une feuille jugée subversive ; il fut arrêté. Dans une pétition en sa faveur, ses camarades déclarent qu'ils l'avaient choisi « rapport à son organe et à sa complaisance, pour lire tous les jours, à l'heure du repas, le journal dit *l'Auditeur national*, que nous payons en communauté pour nous éclairer avec fraternité les uns et les autres ». Le cas des chantiers du Panthéon n'était certainement pas isolé.

Ainsi, par la propagande orale ou la littérature de colportage, la pensée du siècle s'infiltrait fort avant dans les milieux populaires, et comme se diluant. De la bourgeoisie montagnarde ou jacobine aux couches inférieures illettrées, la formulation s'infléchit et déforme la pensée originelle : le fonds commun est le même, il vient de Rousseau. Un public plus large et plus averti, combien différent de l'ancienne société polie, était prêt à accueillir les genres nouveaux que suscitait le choc révolutionnaire.

Albert Soboul,
Histoire littéraire de la France
Editions sociales, 1976

« Plantez au milieu d'une place un piquet couronné de fleurs, rassemblez-y le peuple et vous aurez une fête. »

Le philosophe d'Alembert, dans l'article « Genève » de l'« Encyclopédie » avait attaqué le pouvoir genevois qui ne désirait pas que le théâtre entrât dans sa ville. Rousseau lui répondit en proposant de véritables fêtes républicaines, aptes à développer la conscience morale et sociale des individus.

Quoi ! Ne faut-il donc aucun spectacle dans une République ? Au contraire, il en faut beaucoup. C'est dans les Républiques qu'ils sont nés, c'est dans leur sein qu'on les voit briller avec un véritable air de fête. A quels peuples convient-il mieux de s'assembler souvent et de former entre eux les doux liens du plaisir et de la joie, qu'à ceux qui ont tant de raisons de s'aimer et de rester à jamais unis ? Nous avons déjà plusieurs de ces fêtes publiques ; ayons-en davantage encore, je n'en serai que plus charmé. Mais n'adoptons point ces spectacles exclusifs qui renferment tristement un petit nombre de gens dans un antre obscur ; qui les tiennent craintifs et immobiles dans le silence et l'inaction ; qui n'offrent aux yeux que cloisons, que pointes de fer, que soldats, qu'affligeantes images de la servitude et de l'inégalité. Non, peuples heureux, ce ne sont pas là vos fêtes ! C'est en plein air, c'est sous le ciel qu'il faut vous rassembler et vous livrer au doux sentiment de votre bonheur.

Que vos plaisirs ne soient efféminés ni mercenaires, que rien de ce qui sent la contrainte et l'intérêt ne les empoisonne, qu'ils soient libres et généreux comme vous, que le soleil éclaire vos innocents spectacles ; vous en formerez un vous-même, le plus digne qu'il puisse éclairer.

Mais quels seront enfin les objets de ces spectacles ? Qu'y montrera-t-on ? Rien, si l'on veut. Avec la liberté, partout ou règne l'affluence, le bien-être y règne aussi. Plantez au milieu d'une place un piquet couronné de fleurs, rassemblez-y le peuple, et vous aurez une fête. Faites mieux encore : donnez les spectateurs en spectacle ; rendez-les acteurs eux-mêmes ; faites que chacun se voie et s'aime dans les autres, afin que tous en soient mieux unis. Je n'ai pas besoin de renvoyer aux jeux des anciens Grecs : il en est de plus modernes, il en est d'existants encore, et je les trouve précisément parmi nous. Nous avons tous les ans des revues ; des prix publics ; des rois de l'arquebuse, du canon, de la navigation. On ne peut trop multiplier des établissements si utiles et si agréables ; on ne peut trop avoir de semblables rois. Pourquoi ne ferions-nous pas, pour nous rendre dispos et robustes, ce que nous faisons pour nous exercer aux armes ? La République a-t-elle moins besoin d'ouvriers que de soldats ? Pourquoi, sur le modèle des prix militaires, ne fonderions-nous pas d'autres prix de gymnastique, pour la lutte, pour la course, pour le disque, pour divers exercices du corps ? Pourquoi n'animerions-nous pas nos bateliers pour des joutes sur le lac ? Y aurait-il au monde un plus brillant spectacle que de voir, sur ce vaste et superbe bassin, des centaines de bateaux, élégamment équipés, partir à la fois au signal donné, pour aller enlever un drapeau arboré au but, puis servir de cortège au vainqueur revenant en triomphe recevoir le prix mérité ? Toutes ces sortes de fêtes ne sont dispendieuses qu'autant qu'on le veut bien, et le seul concours les rend assez magnifiques.

Lettre à d'Alembert sur les spectacles, 1758

Des fêtes pour la République !

Les analyses de J.-J. Rousseau sont au cœur de toute la réflexion des révolutionnaires sur la fête. Robespierre, nourri des thèses rousseauistes, s'est manifestement souvenu de cette nécessité de raffermir dans le peuple la conscience sociale par des fêtes nationales, dont les plus célèbres dans l'histoire restent la fête de la Fédération (14 juillet 1790), celle de la Liberté (15 avril 1792), celle de la Raison (1793) et celle de l'Etre suprême (8 juin 1794).

Laissons les prêtres et retournons à la divinité. Attachons la morale à des bases éternelles et sacrées ; inspirons à l'homme ce respect religieux pour l'homme, ce sentiment profond de ses devoirs, qui est la seule garantie du bonheur social ; nourrissons-le par toutes nos institutions ; que l'éducation publique soit surtout dirigée vers ce but. Vous lui imprimerez sans doute un grand caractère, analogue à la nature de notre gouvernement, et à la sublimité des destinées de notre République. Vous sentirez la nécessité de la rendre commune et égale pour tous les Français. Il ne s'agit plus de former des *messieurs*, mais des citoyens ; la patrie a seule droit d'élever ses enfants ; elle ne peut confier ce dépôt à l'orgueil des familles, ni aux préjugés des particuliers, aliments éternels de l'aristocratie et d'un fédéralisme domestique qui rétrécit les âmes en les isolant et détruit, avec l'égalité, tous les fondements de l'ordre social : mais ce

Le char funèbre de Rousseau devant le Panthéon.

grand objet est étranger à la discussion actuelle.

Il est cependant une sorte d'institution qui doit être considérée comme une partie essentielle de l'éducation publique, et qui appartient nécessairement au sujet de ce rapport. Je veux parler des fêtes nationales.

Rassemblez les hommes, vous les rendrez meilleurs ; car les hommes rassemblés chercheront à se plaire, et ils ne pourront se plaire que par les choses qui les rendent estimables. Donnez à leur réunion un grand motif moral et politique, et l'amour des choses honnêtes entrera avec le plaisir dans tous les cœurs ; car les hommes ne se voient pas sans plaisir.

L'homme est le plus grand objet qui soit dans la nature ; et le plus magnifique de tous les spectacles, c'est celui d'un grand peuple assemblé. On ne parle jamais sans enthousiasme des fêtes nationales de la Grèce : cependant elles n'avaient guère pour objet que des jeux où brillaient la force du corps, l'adresse, ou tout au plus le talent des poètes et des orateurs. Mais la Grèce était là ; on voyait un spectacle plus grand que les jeux, c'était le peuple vainqueur de l'Asie, que les vertus républicaines avaient élevé quelquefois au-dessus de l'humanité ; on voyait les grands hommes qui avaient sauvé et illustré la patrie : les pères montraient à leurs fils Miltiade, Aristide, Epaminondas, Timoléon, dont la seule présence était une leçon vivante de magnanimité, de justice et de patriotisme.

Robespierre,
Sur les rapports des idées religieuses et morales avec les principes républicains et sur les fêtes nationales,
18 floréal an II (7 mai 1794)

Voltaire et Rousseau au Panthéon

De leur vivant, Rousseau et Voltaire furent des ennemis vite mortels : tout les opposait. Dans la conscience populaire cependant, ils restent comme les deux inspirateurs des idées qui provoquèrent la Révolution. Cet hymne à Jean-Jacques Rousseau, composé à l'occasion du transfert de ses cendres au Panthéon, le 11 octobre 1794, les réunit dans le même tombeau immortel.

Hymne à
Jean-Jacques Rousseau

Sombres bosquets d'Ermenonville,
Lac paisible, auguste berceau,
Fuyez, l'absence de Rousseau
A désenchanté votre asile ;
Qu'au moins, pour charmer
votre deuil,
Une pyramide éclatante
Lève une tête triomphante,
Où nos yeux cherchaient son cercueil.
[...]

Mais il fut malheureux... L'envie
Lui vendit cher notre bonheur ;
Comment son souffle empoisonneur
Souilla-t-il la plus belle vie ?
Un sage attisa son flambeau !
Mais pardonnons à sa mémoire,
Le trépas l'absout ; et la gloire
L'unit dans le même tombeau. [...] } *bis*

Sors de ton urne funéraire,
Sors, sublime législateur,
Vois ce peuble libérateur
Qui t'implore comme son père,
Contemple ce nouveau sénat
Qui, fondé par ton éloquence,
Porte les destins de la France
Avec ton immortel contrat. } *bis*

Tombez tous aux pieds de ce sage,
Femmes, enfants, vieillards, guerriers,
De fleurs, de chêne et de lauriers
Courez, enlacez son image ;
Et chantant ses aimables airs,
Délassements de son génie,
Faisons redire à Polymnie
Le plus touchant de ses concerts. } *bis*

Paroles de Théodore Desorgues,
musique de Louis Jadin,
1794

Rousseau était-il vraiment révolutionnaire ?

Après la chute de Robespierre certains cherchèrent à établir un statu quo *qui conservât les acquis de 1789 : liberté de penser, libéralisme économique, égalité devant la loi et les fonctions, abolition du régime féodal et nouveau statut de la propriété. Tout cela était dans Rousseau. Mais pas seulement. Certains, comme Gracchus Babeuf, en vinrent à formuler les éléments d'un véritable socialisme, ce qui, semble-t-il, avait déjà effrayé l'académie de Dijon quand Rousseau lui avait fait parvenir son « Discours sur l'inégalité »...*

Il est temps que le peuple, foulé et assassiné, manifeste, d'une manière plus grande, plus solennelle, plus générale qu'il n'a jamais été fait, sa volonté, pour que non seulement les signes, les accessoires de la misère, mais la réalité, la misère elle-même soient anéanties. Que le peuple proclame son manifeste. [...]

Nous prouverons que tout ce qu'un membre du corps social a au-dessous de la suffisance de ses besoins de toute espèce et de tous les jours est le résultat d'une spoliation de sa propriété naturelle individuelle, faite par les accapareurs des biens communs. [...]

Qu'il faut donc que les institutions sociales mènent à ce point, qu'elles ôtent à tout individu l'espoir de devenir jamais ni plus riche, ni plus puissant, ni plus distingué par ses lumières qu'aucun de ses égaux.

Que ce gouvernement, démontré praticable par l'expérience, puisqu'il est celui appliqué aux douze cent mille hommes de nos douze armées (ce qui est possible en petit l'est en grand), que ce gouvernement est le seul dont il peut résulter un bonheur universel, inaltérable, sans mélange ; le bonheur, commun but de la société.

Que ce gouvernement fera disparaître les bornes, les haies, les murs, les serrures aux portes, les disputes, les procès, les vols, les assassinats, tous les crimes ; les tribunaux, les prisons, les gibets, les peines, le désespoir que causent toutes ces calamités ; l'envie, la jalousie, l'insatiabilité, l'orgueil, la tromperie, la duplicité, enfin tous les vices ; plus (et ce point est sans doute l'essentiel) le ver rongeur de l'inquiétude générale, particulière, perpétuelle de chacun de nous, sur notre sort du lendemain, du mois, de l'année suivante, de notre vieillesse, de nos enfants et de leurs enfants. [...]

Peuple ! réveille-toi à l'espérance, cesse de rester engourdi et plongé dans le découragement. [...]

Gracchus Babeuf,
Le Tribun du peuple, 1795

De la Révolution de 1789 à celle de 1830

Soixante-dix ans plus tard, Victor Hugo, quand il met en scène la mort de Gavroche, lors d'un autre combat pour la liberté, la place sous le signe des deux grandes figures populaires que sont Voltaire et Rousseau.

Au moment où Gavroche débarrassait de ses cartouches un sergent gisant près d'une borne, une balle frappa le cadavre.

– Fichtre ! fit Gavroche. Voilà qu'on me tue mes morts.

Une deuxième balle fit étinceler le pavé à côté de lui. Une troisième renversa son panier.

Gavroche regarda, et vit que cela venait de la banlieue.

Il se dressa tout droit, debout, les cheveux au vent, les mains sur les hanches, l'œil fixé sur les gardes nationaux qui tiraient, et il chanta :

On est laid à Nanterre,
C'est la faute à Voltaire,
Et bête à Palaiseau,
C'est la faute à Rousseau.

Puis il ramassa son panier, y remit, sans en perdre une seule, les cartouches qui en étaient tombées, et, avançant vers la fusillade, alla dépouiller une autre giberne. Là, une quatrième balle le manqua encore. Gavroche chanta :

Je ne suis pas notaire,
C'est la faute à Voltaire ;
Je suis petit oiseau,
C'est la faute à Rousseau.

Cela continua ainsi quelque temps.

Le spectacle était épouvantable et charmant. Gavroche, fusillé, taquinait la fusillade, il avait l'air de s'amuser beaucoup. [...]

Il se couchait, puis se redressait, s'effaçait dans un coin de porte, puis bondissait, disparaissait, reparaissait, se sauvait, revenait, ripostait à la mitraille par des pieds de nez, et cependant pillait les cartouches, vidait les gibernes et remplissait son panier. Les insurgés, haletants d'anxiété, le suivaient des yeux. La barricade tremblait ; lui, il chantait. Ce n'était pas un enfant, ce n'était pas un homme ; c'était un étrange gamin fée. On eût dit le nain invulnérable de la mêlée. Les balles couraient après lui, il était plus leste qu'elles. Il jouait on ne sait quel effrayant jeu de cache-cache avec la mort ; chaque fois que la face camarde du spectre s'approchait, le gamin lui donnait une pichenette.

Une balle pourtant, mieux ajustée ou plus traître que les autres, finit par atteindre l'enfant feu follet. On vit Gavroche chanceler, puis il s'affaissa. Toute la barricade poussa un cri ; mais il y avait de l'Antée dans ce pygmée ; pour le gamin, toucher le pavé, c'est comme pour le géant toucher la terre ; Gavroche n'était tombé que pour se redresser ; il resta assis sur son séant, un long filet de sang rayait son visage, il éleva ses deux bras en l'air, regarda du côté d'où était venu le coup, et se mit à chanter :

Je suis tombé par terre,
C'est la faute à Voltaire,
Le nez dans le ruisseau,
C'est la faute à...

Il n'acheva point. Une seconde balle du même tireur l'arrêta court. Cette fois il s'abattit la face contre le pavé, et ne remua plus. Cette petite grande âme venait de s'envoler.

Victor Hugo,
Les Misérables, 1862

Le sens de la parole politique de Rousseau

Pour ce critique contemporain, Rousseau a été le véritable catalyseur de la pensée révolutionnaire.

« Nous approchons de l'état de crise et du siècle des révolutions... Je tiens pour impossible que les grandes monarchies de l'Europe aient encore longtemps à durer. »

Rousseau invitait-il à la lutte et à l'espoir ? Voyait-il dans la chute des monarchies le signal d'une ère de justice ? Contrairement à Turgot et aux théoriciens du progrès, Rousseau n'est pas enclin à faire confiance à l'histoire et aux « lumières ». Il ne s'attend pas à voir le bonheur public couronner l'effort de la philosophie. Il se fait plus volontiers l'annonciateur des catastrophes : les vices de la civilisation, le jeu des intérêts et de l'amour-propre exaspérés entraîneront l'Europe dans l'anarchie sanglante ; le monde va être secoué par de « courtes et fréquentes révolutions » ; l'histoire touche presque à sa fin, qui ressemble à la sauvagerie du commencement ; la violence crépusculaire verra revenir la « lutte de tous contre tous » qui, selon Hobbes, avait précédé la naissance de la société. En se civilisant selon les voies de l'inégalité, qui sont celles de l'iniquité, l'homme s'est condamné à mort. Peut-on encore songer à régénérer la *société* ? Il n'est sans doute plus temps.

Mais Rousseau se résigne imparfaitement à l'échec de l'histoire. [...]

Le citoyen de Genève s'est adressé [aux hommes] pour les désensorceler, pour les aider à reconnaître le joug de la servitude sous les « guirlandes de fleurs » qui le dissimulent. L'imminence de la fin, telle que Rousseau l'annonce, dresse le sombre décor sur lequel peut s'enlever un événement miraculeux ; la catastrophe présagée donne tout son éclat à l'image fragile d'une chance ultime : en un sursaut collectif ou, mieux encore, sous la conduite d'un législateur providentiel, les sociétés pourraient faire retour à leurs vrais principes : liberté, égalité, vertus civiques. Dans l'éloquence pathétique de Rousseau, l'époque devenait le lieu d'une grande alternative : céder au vertige fatal de la corruption, ou renaître à une nouvelle vigueur, à une rude et sobre simplicité. Hantée par l'idée de la faute, la parole de Rousseau était une parole culpabilisante : elle mettait ses contemporains en accusation, elle les mettait en demeure. Elle adressait une sommation qu'elle présentait comme un ultime avertissement : si on laissait s'aggraver le luxe, la vanité, le despotisme, la servitude, tous s'achèverait dans le sang. Le salut, s'il pouvait encore être espéré, ne serait plus que l'effet d'une grâce imméritée. Or si forte est l'exigence du salut, si vive est son horreur du chaos, que Rousseau persiste à maintenir, contre ses propres doutes, contre les plus fortes assertions de son pessimisme historique, l'hypothèse précaire d'un « retour à l'institution légitime » et d'une renaissance du corps social. Renaissance au prix d'une crise ; régénération et palingénésie offertes à qui consent à boire « l'eau d'oubli ». Après la longue nuit fiévreuse où tout s'efface dans la confusion, le réveil peut rendre aux hommes la lumière d'un vrai recommencement, une figure mythique de la vie retrouvée à travers l'épreuve de la mort ; l'image d'un seuil traversé, d'une abolition du temps révolu, d'une résurrection glorieuse. Rousseau recourt aux images que la théologie utilisait pour décrire le jour du Jugement : il nous propose la version laïcisée d'un Jugement qui se produirait dans l'histoire humaine, et non dans le règne du Seigneur.

Ces idées, ces images, Rousseau ne les a pas créées de toutes pièces. Il les a trouvées à l'état diffus dans le monde où il vivait ; mais il leur a conféré la forme véhémente, le ton impérieux, qui les ont rendues efficaces. Son époque, en l'admirant, en le divinisant, n'a fait que se retrouver en lui. La prédication de Rousseau n'a certes pas « causé » la Révolution française, mais elle a incité les hommes de 1789 à comprendre leur situation comme une crise révolutionnaire.

Jean Starobinski,
1789, les emblèmes de la raison,
Flammarion

Le tombeau de Jean-Jacques Rousseau dans l'île des Peupliers à Ermenonville.

L'enjeu de la musique et du théâtre

Rousseau ne peut envisager qu'une seule écriture pour le spectacle du théâtre et de l'opéra : celle qui nie toute distance et donne à chacun toute disposition à la pure jouissance.

Dans sa « Lettre à d'Alembert sur les spectacles », Jean-Jacques insiste davantage sur l'idée de spectacle que sur celle de théâtre : c'est au théâtre-spectacle qu'il s'attaque. Il montre que la fin d'une telle opération est l'amusement propre à masquer les raisons d'un divertissement si nécessaire aux yeux de certains. Or, toute fin d'un amusement suppose que l'on plaise et qu'aucun moyen ne soit interdit en vue de cet objectif ; d'où la tendance malheureuse du théâtre de son époque à flatter « les penchants des hommes ». Le théâtre aujourd'hui n'a pas les moyens de dépasser cette situation et, loin de réformer les mœurs de ceux qui en jouissent, il charge les passions et les inclinations naturelles. « Je sais que la poétique du théâtre prétend faire tout le contraire et purger les passions en les excitant : mais j'ai peine à bien concevoir cette règle... »

Des raisons qui nous poussent à aller au théâtre

Au premier coup d'œil jeté sur ces institutions, je vois d'abord qu'un spectacle est un amusement ; et s'il est vrai qu'il faille des amusements à l'homme, vous conviendrez au moins qu'ils ne sont permis qu'autant qu'ils sont nécessaires, et que tout amusement inutile est un mal, pour un être dont la vie est si courte et le temps si précieux. L'état d'homme a ses plaisirs, qui dérivent de sa nature, et naissent de ses travaux, de ses rapports, de ses besoins ; et ces plaisirs, d'autant plus doux que celui qui les goûte a l'âme plus saine, rendent quiconque en sait jouir peu sensible à tous les autres. Un père, un fils, un mari, un citoyen, ont des devoirs si chers à remplir, qu'ils ne leur laissent rien à dérober à l'ennui. Le bon emploi du temps rend le temps plus précieux encore, et mieux on le met à profit, moins on en fait trouver à perdre. Aussi voit-on constamment que l'habitude du travail rend l'inaction insupportable, et qu'une bonne conscience éteint le goût des plaisirs frivoles : mais c'est le mécontentement de soi-même, c'est le poids de l'oisiveté, c'est l'oubli des goûts simples et naturels, qui rendent si nécessaire un amusement étranger. Je n'aime point qu'on ait besoin d'attacher incessamment son cœur sur la scène, comme s'il était mal à son aise au-dedans de nous.

Rousseau,
Lettre sur les spectacles
Garnier-Flammarion

Le théâtre parisien, ou le paroxysme de l'artifice

Dans « La Nouvelle Héloïse », le théâtre devient le symbole explicite de la perversion de la grande ville : tout y est faux, on y parle beaucoup sans jamais agir, et chacun y cherche le brillant au lieu de l'authenticité.

De Saint-Preux à Julie

Tout cela vient de ce que le Français ne cherche point sur la scène le naturel et l'illusion et n'y veut que de l'esprit et des pensées ; il fait cas de l'agrément et non de l'imitation, et ne se soucie pas d'être séduit pourvu qu'on l'amuse. Personne ne va au spectacle pour le plaisir du spectacle, mais pour voir l'assemblée, pour en être vu, pour ramasser de quoi fournir au caquet après la pièce, et l'on ne songe à ce qu'on voit que pour savoir ce qu'on en dira. L'acteur pour eux est toujours l'acteur, jamais le personnage qu'il représente. Cet homme qui parle en maître du monde n'est point Auguste, c'est Baron, la veuve de Pompée est Adrienne, Alzire est Mlle Gaussin, et ce fier sauvage est Grandval. Les comédiens de leur côté négligent entièrement l'illusion dont ils voient que personne ne se soucie. Ils placent les héros de l'antiquité entre six rangs de jeunes Parisiens ; ils calquent les modes françaises sur l'habit romain ; on voit Cornélie en pleurs avec deux doigts de rouge, Caton poudré au blanc, et Brutus en panier. Tout cela ne choque personne et ne fait rien au succès des pièces ; comme on ne voit que l'acteur dans le personnage, on ne voit, non plus, que l'auteur dans le drame, et si le costume est négligé cela se pardonne aisément ; car on sait bien que Corneille n'était pas tailleur ni Crébillon perruquier.

Ainsi, de quelque sens qu'on envisage les choses, tout n'est ici que babil, jargon, propos sans conséquence. Sur la scène comme dans le monde on a beau écouter ce qui se dit, on n'apprend rien de ce qui se fait, et qu'a-t-on besoin de l'apprendre ? Sitôt qu'un homme a parlé, s'informe-t-on de sa conduite, n'a-t-il pas tout fait, n'est-il pas jugé ? L'honnête homme d'ici n'est point celui qui fait de bonnes actions, mais celui qui dit de belles choses, et un seul propos inconsidéré, lâché sans réflexion, peut faire à celui qui le tient un tort irréparable que n'effaceraient pas quarante ans d'intégrité. En un mot, bien que les œuvres des hommes ne ressemblent guère à leurs discours, je vois qu'on ne les peint que par leurs discours sans égard à leurs œuvres ; je vois aussi que dans une grande ville la société paraît plus douce, plus facile, plus sûre même que parmi des gens moins étudiés ; mais les hommes y sont-ils en effet plus humains, plus modérés, plus justes ? Je n'en sais rien. Ce ne sont encore là que des apparences, et sous ces dehors si ouverts et si agréables les cœurs sont peut-être plus cachés, plus enfoncés en dedans que les nôtres. Etranger, isolé, sans affaires, sans liaisons, sans plaisirs et ne voulant m'en rapporter qu'à moi, le moyen de pouvoir prononcer ?

La Nouvelle Héloïse,
deuxième partie, XVII

L'harmonie contre la mélodie

La musique et l'opéra proposent les mêmes enjeux. Rousseau ne peut aimer ce qui l'éloigne de la jouissance pure. Loin des fastes, des artifices et des complexités de la musique et de l'opéra français, Saint-Preux, dans « La Nouvelle Héloïse », vante la simplicité des Italiens.

Ah ! ma Julie ! qu'ai-je entendu ? Quels sons touchants ! quelle musique ! quelle source délicieuse de sentiments et de plaisirs ! Ne perds pas un moment ; rassemble avec soin tes opéras, tes cantates, ta musique française, fais un grand feu bien ardent, jettes-y tout ce fatras, et l'attise avec soin, afin que tant de glace puisse y brûler et donner de la chaleur au moins une fois. Fais ce sacrifice propitiatoire au dieu du goût, pour expier ton crime et le mien d'avoir profané ta voix à cette lourde psalmodie, et d'avoir pris si longtemps pour le langage du cœur un bruit qui ne fait qu'étourdir l'oreille. O que ton digne frère avait raison ! Dans quelle étrange erreur j'ai vécu jusqu'ici sur les productions de cet art charmant ! Je sentais leur peu d'effet, et l'attribuais à sa faiblesse. Je disais : la musique n'est qu'un vain son qui peut flatter l'oreille et n'agit qu'indirectement et légèrement sur l'âme : l'impression des accords est purement mécanique et physique ; qu'a-t-elle à faire au sentiment, et pourquoi devrais-je espérer d'être plus vivement touché d'une belle harmonie que d'un bel accord de couleurs ? Je n'apercevais pas, dans les accents de la mélodie appliqués à ceux de la langue, le lien puissant et secret des passions avec les sons ; je ne voyais pas que l'imitation des tons divers dont les sentiments animent la voix parlante donne à son tour à la voix chantante le pouvoir d'agiter les cœurs et que l'énergique tableau des mouvements de l'âme de celui qui se fait entendre est ce qui fait le vrai charme de ceux qui l'écoutent.

C'est ce que me fit remarquer le chanteur de milord, qui, pour un musicien, ne laisse pas de parler assez bien de son art. « L'harmonie, me disait-il, n'est qu'un accessoire éloigné dans la musique imitative ; il n'y a dans l'harmonie proprement dite aucun principe d'imitation. Elle assure, il est vrai, les intonations ; elle porte témoignage de leur justesse ; et, rendant les modulations plus sensibles, elle ajoute de l'énergie à l'expression, et de la grâce au chant. Mais c'est de la seule mélodie que sort cette puissance invincible des accents passionnés ; c'est d'elle que dérive tout le pouvoir de la musique sur l'âme. Formez les plus savantes successions d'accords sans mélange de mélodie, vous serez ennuyés au bout d'un quart d'heure. De beaux chants sans aucune harmonie sont longtemps à l'épreuve de l'ennui. Que l'accent du sentiment anime les chants les plus simples, ils seront intéressants. Au contraire, une mélodie qui ne parle point chante toujours mal, et la seule harmonie n'a jamais rien su dire au cœur.

« C'est en ceci, continuait-il, que consiste l'erreur des Français sur les forces de la musique. N'ayant et ne pouvant avoir une mélodie à eux dans une langue qui n'a point d'accent, et sur une poésie maniérée qui ne connut jamais la nature, ils n'imaginent

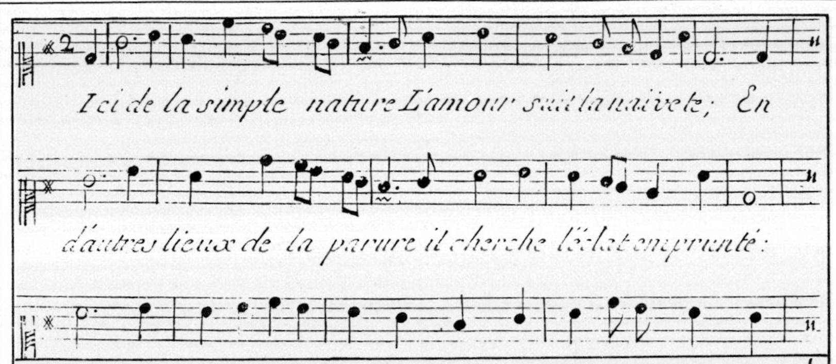

Agé de neuf ans, le jeune Mozart, présent lors d'une représentation du *Devin du Village* alors qu'il se trouvait à la cour de France, fut fort impressionné par l'opéra de Rousseau. Deux ans plus tard, il s'inspirait de l'histoire pour composer *Bastien, Bastienne*.

d'effets que ceux de l'harmonie et des éclats de voix, qui ne rendent pas les sons plus mélodieux, mais plus bruyants ; et ils sont si malheureux dans leurs prétentions, que cette harmonie même qu'ils cherchent leur échappe ; à force de la vouloir charger, ils n'y mettent plus de choix, ils ne connaissent plus les choses d'effet, ils ne font plus que du remplissage ; ils se gâtent l'oreille, et ne sont plus sensibles qu'au bruit ; en sorte que la plus belle voix pour eux n'est que celle qui chante le plus fort. Aussi, faute d'un genre propre, n'ont-ils jamais fait que suivre pesamment et de loin nos modèles ; et depuis leur célèbre Lulli, ou plutôt le nôtre, qui ne fit qu'imiter les opéras dont l'Italie était déjà pleine de son temps, on les a toujours vus, à la piste de trente ou quarante ans, copier, gâter nos vieux auteurs, et faire à peu près de notre musique comme les autres peuples font de leurs modes. Quand ils se vantent de leurs chansons, c'est leur propre condamnation qu'ils prononcent ; s'ils savaient chanter des sentiments, ils ne chanteraient pas de l'esprit : mais parce que leur musique n'exprime rien, elle est plus propre aux chansons qu'aux opéras ; et parce que la nôtre est toute passionnée, elle est plus propre aux opéras qu'aux chansons. »

La Nouvelle Héloïse,
première partie, XCVIII

A bas la musique française !

Décidément, Jean-Jacques n'aime pas la musique française. En pleine querelle des Bouffons (opposant les partisans de Lulli et de Rameau à ceux de Pergolèse), il émet quelques jugements lapidaires que certains ne lui pardonneront pas...

Je crois avoir fait voir qu'il n'y a ni mesure ni mélodie dans la musique française, parce que la langue n'en est pas susceptible ; que le chant français n'est qu'un aboiement continuel, insupportable à toute oreille non prévenue ; que l'harmonie en est brute, sans expression et sentant uniquement son remplissage d'écolier, que les airs français ne sont point des airs ; que le récitatif français n'est point un récitatif. D'où je conclus que les Français n'ont point de musique et n'en peuvent avoir ; ou que si jamais ils en ont une, ce sera tant pis pour eux.

Lettres sur la musique française, 1753

« Le Français est de tous les peuples celui qui a le moins d'aptitude à la musique »

L'Opéra de Paris est, quant à lui, le comble du ridicule : il allie les défauts du théâtre à ceux de la musique française !

(de Saint-Preux à Julie)

Je ne vous parlerai point de cette musique ; vous la connaissez. Mais ce dont vous ne sauriez avoir d'idée, ce sont les cris affreux, les longs mugissements dont retentit le théâtre durant la représentation. On voit les actrices presque en convulsion, arracher avec violence ces glapissements de leurs poumons, les poings fermés contre la poitrine, la tête en arrière, le visage enflammé, les vaisseaux gonflés, l'estomac pantelant ; on ne sait lequel est le plus désagréablement affecté de l'œil ou de l'oreille ; leurs efforts font autant souffrir ceux qui les regardent que leurs chants ceux qui les écoutent, et ce qu'il y a de plus inconcevable est que ces hurlements sont presque la seule chose qu'applaudissent les spectateurs. A leurs battements de mains on les prendrait pour des sourds charmés de saisir par-ci par-là quelques sons perçants, et qui veulent engager les acteurs a les redoubler. Pour moi, je suis persuadé qu'on applaudit les cris d'une actrice à l'Opéra comme les tours de force d'un bateleur à la foire : la sensation en est déplaisante et pénible ; on souffre tandis qu'ils durent, mais on est si aise de les voir finir sans accident qu'on en marque volontiers sa joie. Concevez que cette manière de chanter est employée pour exprimer ce que Quinault a jamais dit de plus galant et de plus tendre. Imaginez les Muses, les Grâces, les Amours, Vénus même s'exprimant avec cette délicatesse, et jugez de l'effet ! Pour les Diables, passe encore, cette musique a quelque chose d'infernal qui ne leur messied pas. Aussi les magies, les évocations, et toutes les fêtes du Sabat sont-elles toujours ce qu'on admire le plus à l'Opéra français.

La Nouvelle Héloïse
deuxième partie, XXIII

La vengeance des violons de l'Opéra

Dans l'une des « Lettres à M. de Voltaire » sur « La Nouvelle Héloïse » que le féroce ennemi de Rousseau s'adressa à lui-même, on trouve le récit de quelques ennuis que Jean-Jacques s'attira. Cinq ou six virtuoses de l'Opéra entreprennent de le rosser...

– Ah ! coquin, dit le premier violon,

nous t'apprendrons si « l'ennuyeux et lamentable chant français resssemble aux cris de la colique », comme tu l'écris.

– Viens çà, viens çà, dit l'autre ; celui que tu appelles le bûcheron va frapper sur toi la mesure.

– « Va, va, la vache qui galope t'attrapera », disait un troisième.

Un quatrième s'écriait : « Tu ne mangeras pas de l'oie grasse. »

– Pardon, Messieurs, dit mon doux ami, se jetant à genoux, je n'y retournerai plus ; c'est une méprise de Suisse, je suis votre serviteur à tous ; je fais moi-même de la musique française, j'en ai copié toute ma vie.

– « Tu en es plus coupable », répliqua un des violons, en lui donnant un coup d'archet des plus forts sur le nez.

La dame jetait les hauts cris. « Vous vous méprenez, Messieurs, c'est un citoyen de Genève, vous dis-je. »

Les violons n'entendaient point raison, les coups d'archet pleuvaient ; Jean-Jacques fuyait dans tous les coins de la chambre ; il se penchait à la fenêtre pour ne recevoir les coups que sur son derrière. En se penchant il aperçut un grand homme vêtu de noir, sec, décharné, la face allongée, le nez pointu, le corps plié en deux monté sur deux bâtons de cire noire, qu'on appelait ses jambes, une main dans la poche, et l'autre en l'air battant la mesure.

A cette figure, Jean-Jacques reconnut Rameau. « A mon secours ! s'écria-t-il, mon bon monsieur Rameau. à mon secours ! L'orchestre me tue, il a toujours fait mon supplice : à l'aide ! au guet ! au meurtre ! Faut-il avoir eu toute ma vie les oreilles écorchées par les filles de l'Opéra, pour expirer aujourd'hui sous les violons ? »

Rameau monta paisiblement en fredonnant un air, et vint voir sur quel ton étaient les choses. Il trouva les archets brisés, une grosse dame en jupon sale, tout éplorée, et le nez du doux ami tout sanglant.

Rameau, en maître souverain de l'orchestre, fit ralentir la mesure ; et, après avoir écouté patiemment, pour la première fois de sa vie, les violons de l'Opéra : « Ne vous fâchez pas, leur dit-il, Messieurs, c'est un pauvre fou qui n'est pas si méchant qu'on le croit » ; sa folie consiste dans les inconséquences, et dans une vanité dont aucun barbier n'approcha jamais. Il a fait une mauvaise comédie, et il a écrit contre la comédie ; il a publié que le théâtre de Paris corrompait les mœurs, et il vient de donner au public un roman d'Héloïse ou d'Aloïse, dont plusieurs endroits feraient rougir madame que voilà, si elle savait lire. Il est allé à Genève abjurer la religion catholique pour vivre en France, le pauvre homme a fait lui-même de la musique française, que j'ai eu la bonté de corriger. Il a imprimé dans le *Dictionnaire encyclopédique* quelques âneries sur l'harmonie, qu'il m'a fallu encore relever ; et pour récompense il écrit contre moi. Il ne lui manque plus que d'être peintre, et d'écrire contre Vanloo et contre Drouais ; il faut pardonner à un pauvre homme qui a le cerveau blessé. Il s'est mis dans un tonneau, qu'il a cru être celui de Diogène, et pense là être en droit de faire le cynique ; il crie de son tonneau aux passants : « Admirez mes haillons. » La seule manière de le punir est de ne regarder ni sa personne ni son tonneau ; il vaut mieux l'ignorer que de le battre. »

Ce discours sensé apaisa l'orchestre ; mais il ne corrigea pas Jean-Jacques.

Voltaire
Lettres à M. de Voltaire sur « La Nouvelle Héloïse », 1761

La Nouvelle Héloïse

« Mon imagination ne laissait pas longtemps déserte la terre ainsi parée. Je la peuplais bientôt d'êtres selon mon cœur, et, chassant bien loin l'opinion, les préjugés, toutes les passions factices, je transportais dans les asiles de la nature des hommes dignes de les habiter ».

NOUVELLE ÉDITION

25 CENTIMES LA LIVRAISON

J. J. ROUSSEAU ILLUSTRÉ

LA

NOUVELLE HÉLOÏSE

ÉDITION ILLUSTRÉE

PAR MM. TONY JOHANNOT, EM. WATTIER, E. LEPOITEVIN, K. GIRARDET, TH. GUERIN

D'UN GRAND NOMBRE DE DESSINS DANS LE TEXTE

de 38 tirés à part sur papier de Chine

ET D'UN SUPERBE FRONTISPICE AVEC LE PORTRAIT DE JEAN-JACQUES ROUSSEAU

Un magnifique volume en deux parties, grand in-8° vélin, glacé et satiné.

PROSPECTUS

Le livre dont nous offrons aujourd'hui une nouvelle édition n'a besoin d'aucun commentaire ni d'aucun panégyrique. A quoi serviraient, en effet, les phrases banales d'un prospectus, quand il

Dans cet immense roman par lettres que constitue « La Nouvelle Héloïse », les thèmes de prédilection de Rousseau (la transparence des cœurs, la nature comme asile, la ville comme perversion, la rêverie du bonheur, la religion naturelle) parcourent une trame romanesque elle-même largement inspirée par des éléments autobiographiques. Saint-Preux et Julie doivent beaucoup à Jean-Jacques (qui a alors plus de quarante ans) et à Sophie d'Houdetot, et M. de Wolmar à Saint-Lambert, l'amant en titre de Sophie. Mais avant tout, il s'agit de donner corps à tout ce qui se noue et se dénoue dans l'imaginaire de Rousseau. D'affirmer par l'écriture que la vraie vie est ailleurs, au-delà des repères pervertis des contraintes sociales.

L'histoire de « La Nouvelle Héloïse » est pourtant celle de la lente désagrégation d'un rêve. Inéluctablement, à Clarens, le bonheur communautaire placé sous le signe de la nature et sous le regard de Dieu se décompose, devient illusoire et impossible, laissant un goût d'amertume aux deux amants résignés.

« Ce livre n'est point fait pour circuler dans le monde, et convient à très peu de lecteurs », annonçait Rousseau dans sa Préface. Malgré les sarcasmes de Voltaire, « La Nouvelle Héloïse » connut une centaine de rééditions entre 1762 et 1800.

Premier baiser

Le père de Julie – le baron d'Etampes – reconnaît les mérites du précepteur de sa fille (Saint-Preux) mais ignore encore la passion qu'elle lui voue : il songe à la marier, quelques-uns de ses amis paraissent un bon parti. Julie est soumise aux souhaits de son père : elle sait son destin scellé dans cette loi. Mais, toujours, dans le secret de sa correspondance, elle avoue son amour à Saint-Preux. Elle se donne à lui et perd son innocence.

De Saint-Preux à Julie

Qu'as-tu fait, ah ! qu'as-tu fait, ma Julie ? tu voulais me récompenser, et tu m'as perdu. Je suis ivre, ou plutôt insensé. Mes sens sont altérés, toutes mes facultés sont troublées par ce baiser mortel. Tu voulais soulager mes maux ! Cruelle ! tu les aigris. C'est du poison que j'ai cueilli sur tes lèvres ; il fermente, il embrase mon sang, il me tue, et ta pitié me fait mourir.

O souvenir immortel de cet instant d'illusion, de délire et d'enchantement, jamais, jamais tu ne t'effaceras de mon âme ; et tant que les charmes de Julie y seront gravés, tant que ce cœur agité me fournira des sentiments et des soupirs, tu feras le supplice et le bonheur de ma vie !

Hélas ! je jouissais d'une apparente tranquillité ; soumis à tes volontés suprêmes, je ne murmurais plus d'un sort auquel tu daignais présider. J'avais dompté les fougueuses saillies d'une imagination téméraire ; j'avais couvert mes regards d'un voile, et mis une entrave à mon cœur ; mes désirs n'osaient plus s'échapper qu'à demi ; j'étais aussi content que je pouvais l'être. Je reçois ton billet, je vole chez ta cousine ; nous nous rendons à Clarens, je t'aperçois, et mon sein palpite ; le doux son de ta voix y porte une agitation nouvelle ; je t'aborde comme transporté, et j'avais grand besoin de la diversion de ta cousine pour cacher mon trouble à ta mère. On parcourt le jardin, l'on dîne tranquillement, tu me rends en secret ta lettre que je n'ose lire devant ce redoutable témoin ; le soleil commence à baisser, nous fuyons tous trois dans le bois le reste de ses rayons, et ma paisible simplicité n'imaginait pas même un état plus doux que le mien.

En approchant du bosquet, j'aperçus, non sans une émotion secrète, vos signes d'intelligence, vos sourires mutuels, et le coloris de tes joues prendre un nouvel éclat. En y entrant, je vis avec surprise ta cousine s'approcher de moi, et, d'un air plaisamment suppliant, me demander un baiser. Sans rien comprendre à ce mystère, j'embrassai cette charmante amie ; et, tout aimable, toute piquante qu'elle est, je ne connus jamais mieux que les sensations ne sont rien que ce que le cœur les fait être. Mais que devins-je un moment après quand je sentis... la main me tremble... un doux frémissement... ta bouche de roses... la bouche de Julie... se poser, se presser sur la mienne, et mon corps serré dans tes bras ! Non, le feu du ciel n'est pas plus vif ni plus prompt que celui qui vint à l'instant m'embraser. Toutes les parties de moi-même se rassemblèrent sous ce toucher délicieux. Le feu s'exhalait avec nos soupirs de nos lèvres brûlantes, et mon cœur se mourait sous le poids de la volupté, quand tout à coup je te vis pâlir, fermer tes beaux yeux, t'appuyer sur ta cousine, et tomber en défaillance. Ainsi la frayeur éteignit le plaisir, et mon bonheur ne fut qu'un éclair. [...]

La Nouvelle Héloïse,
première partie XIV

Critique de mœurs

Le père de Julie s'oppose à son union avec Saint-Preux, qui ne peut être qu'une mésalliance, compte tenu de l'origine roturière de celui-ci. Saint-Preux s'éloigne, voyage, se perd dans les frivolités de la société parisienne, ce qui n'est pas sans attiser les craintes de Julie, jalouse de voir son amant s'égarer dans des compagnies par trop galantes.

De Saint-Preux à Julie

Ce qui m'a le plus frappé dans ces sociétés d'élite, c'est de voir six personnes choisies exprès pour s'entretenir agréablement ensemble, et parmi lesquelles règnent même le plus souvent des liaisons secrètes, ne pouvoir rester une heure entre elles six, sans y faire intervenir la moitié de Paris, comme si leurs cœurs n'avaient rien à se dire et qu'il n'y eût là personne qui méritât de les intéresser. Te souvient-il, ma Julie, comment en soupant chez ta cousine ou chez toi, nous savions, en dépit de la contrainte et du mystère, faire tomber l'entretien sur des sujets qui eussent du rapport à nous, et comment à chaque réflexion touchante, à chaque allusion subtile, un regard plus vif qu'un éclair, un soupir plutôt deviné qu'aperçu, en portait le doux sentiment d'un cœur à l'autre.

Si la conversation se tourne par hasard sur les convives, c'est communément dans un certain jargon de société dont il faut avoir la clé pour l'entendre. A l'aide de ce chiffre, on se fait réciproquement et selon le goût du temps mille mauvaises plaisanteries, durant lesquelles le plus sot n'est pas celui qui brille le moins, tandis qu'un tiers mal instruit est réduit à l'ennui et au silence, ou à rire de ce qu'il n'entend point. Voilà, hors le tête-à-tête qui m'est et me sera toujours inconnu, tout ce qu'il y a de tendre et d'affectueux dans les liaisons de ce pays.

Au milieu de tout cela qu'un homme de poids avance un propos grave ou agite une question sérieuse, aussitôt l'attention commune se fixe à ce nouvel objet ; hommes, femmes, vieillards, jeunes gens, tout se prête à le considérer par toutes ses faces, et l'on est étonné du sens et de la raison qui sortent comme à l'envi de toutes ces têtes folâtres. Un point de morale ne serait pas mieux discuté dans une société de philosophes que dans celle d'une jolie femme de Paris ; les

conclusions y seraient même souvent moins sévères ; car le philosophe qui veut agir comme il parle y regarde à deux fois ; mais ici où toute la morale est un pur verbiage, on peut être austère sans conséquence, et l'on ne serait pas fâché, pour rabattre un peu l'orgueil philosophique, de mettre la vertu si haut que le sage même n'y pût atteindre. Au reste, hommes et femmes, tous, instruits par l'expérience du monde et surtout par leur conscience, se réunissent pour penser de leur espèce aussi mal qu'il est possible, toujours philosophant tristement, toujours dégradant par vanité la nature humaine, toujours cherchant dans quelque vice la cause de tout ce qui se fait de bien, toujours d'après leur propre cœur médisant du cœur de l'homme. [...]

La Nouvelle Héloïse,
deuxième partie, XVII

L'Elysée

Julie est mariée à M. de Wolmar, pour satisfaire son père. Elle a deux enfants, dont le père propose à Saint-Preux de devenir le précepteur. Les deux époux et l'ancien amant vont donc vivre ensemble, à Clarens. C'est alors que le rêve de bonheur de Rousseau se donne libre cours, inventant un refuge paradisiaque à l'abri des hommes .

[...] Je me mis à parcourir avec extase ce verger ainsi métamorphosé ; et si je ne trouvai point de plantes exotiques et de productions des Indes, je trouvai celles du pays disposées et réunies de manière à produire un effet plus riant et plus agréable. Le gazon verdoyant, épais, mais court et serré était mêlé de serpolet, de baume, de thym, de marjolaine, et d'autres herbes odorantes. On y voyait briller mille fleurs des champs, parmi lesquelles l'œil en démêlait avec surprise quelques-unes de jardin, qui semblaient croître naturellement avec les autres. Je rencontrais de temps en temps des touffes obscures, impénétrables aux rayons du soleil comme dans la plus épaisse forêt ; ces touffes étaient formées des arbres du bois le plus flexible, dont on avait fait recourber les branches, pendre en terre, et prendre racine, par un art semblable à ce que font naturellement les mangles en Amérique. Dans les lieux plus découverts, je voyais çà et là sans ordre et sans symétrie des broussailles de roses, de framboisiers, de groseilles, des fourrés de lilas, de noisetier, de sureau, de seringa, de genêt, de trifolium, qui paraient la terre en lui donnant l'air d'être en friche. Je suivais des allées tortueuses et irrégulières bordées de ces bocages fleuris, et couvertes de mille guirlandes de vigne de Judée, de vigne vierge, de houblon, de liseron, de couleuvrée, de clématite, et d'autres plantes de cette espèce, parmi lesquelles le chèvrefeuille et le jasmin daignaient se confondre. Ces guirlandes semblaient jetées négligemment d'un arbre à l'autre, comme j'en avais remarqué quelquefois dans les forêts, et formaient sur nous des espèces de draperies qui nous garantissaient du soleil, tandis que nous avions sous nos pieds un marcher doux, commode, et sec sur une mousse fine sans sable, sans herbe, et sans rejetons raboteux. Alors seulement je découvris, non sans surprise, que ces ombrages verts et touffus qui m'en avaient tant imposé de loin, n'étaient formés que de ces plantes rampantes et parasites qui, guidées le long des arbres, environnaient leurs têtes du plus épais feuillage et leurs pieds d'ombre et de fraîcheur. J'observai même qu'au moyen d'une industrie assez simple on avait fait prendre racine sur les troncs des arbres à plusieurs de ces plantes, de sorte qu'elles s'étendaient davantage en faisant moins de chemin. Vous concevez bien que les fruits ne s'en trouvent pas mieux de toutes ces additions ; mais dans ce lieu seul on a sacrifié l'utile à l'agréable, et dans le reste des terres on a pris un tel soin des plants et des arbres qu'avec ce verger de moins la récolte en fruits ne laisse pas d'être plus forte qu'auparavant. Si vous songez combien au fond d'un bois on est charmé quelquefois de voir un fruit sauvage et même de s'en rafraîchir, vous comprendrez le plaisir qu'on a de trouver dans ce désert artificiel des fruits excellents et mûrs quoique clairsemés et de mauvaise mine ; ce qui donne encore le plaisir de la recherche et du choix. [...]

La Nouvelle Héloïse,
quatrième partie, XI

« Le voile ! le voile ! »

Saint-Preux a suivi son ami milord Edouard à Rome. Mais un rêve affreux le fait revenir précipitamment...

De Saint-Preux à Madame d'Orbe, la cousine de Julie

Je me couchai dans ces tristes idées. Elles me suivirent durant mon sommeil, et le remplirent d'images funèbres. Les amères douleurs, les regrets, la mort se peignirent dans mes songes, et tous les maux que j'avais soufferts reprenaient à mes yeux cent formes nouvelles, pour me tourmenter une seconde fois. Un rêve surtout, le plus cruel de tous, s'obstinait à me poursuivre, et de fantôme en fantôme, toutes leurs apparitions confuses finissaient toujours par celui-là.

Je crus voir la digne mère de votre amie, dans son lit expirante, et sa fille à genoux devant elle, fondant en larmes, baisant ses mains et recueillant ses derniers soupirs. Je revis cette scène que vous m'avez autrefois dépeinte, et qui ne sortira jamais de mon souvenir. O ma mère, disait Julie d'un ton à me navrer l'âme, celle qui vous doit le jour vous l'ôte ! Ah ! reprenez votre bienfait, sans vous il n'est pour moi qu'un don funeste. Mon enfant, répondit sa tendre mère... il faut remplir son sort... Dieu est juste... tu seras mère à ton tour... elle ne put achever... Je voulus lever les yeux sur elle ; je ne la vis plus. Je vis Julie à sa place ; je la vis, je la reconnus, quoique son visage fût couvert d'un voile. Je fais un cri ; je m'élance pour écarter le voile ; je ne pus l'atteindre ; j'étendais les bras, je me tourmentais et ne touchais rien. Ami, calme-toi, me dit-elle d'une voix faible. Le voile redoutable me couvre, nulle main ne peut l'écarter. A ce mot, je m'agite et fais un nouvel effort ; cet effort me réveille : je me trouve dans mon lit, accablé de fatigue, et trempé de sueur et de larmes.

Bientôt ma frayeur se dissipe, l'épuisement me rendort ; le même songe me rend les mêmes agitations ; je m'éveille, et me rendors une troisième fois. Toujours ce spectacle lugubre, toujours ce même appareil de mort ; toujours ce voile impénétrable échappe à mes mains et dérobe à mes yeux l'objet expirant qu'il couvre.

A ce dernier réveil ma terreur fut si forte que je ne la pus vraincre étant éveillé. Je me jette à bas de mon lit, sans savoir ce que je faisais. Je me mets à errer par la chambre, effrayé comme un enfant des ombres de la nuit, croyant me voir environné de fantômes, et l'oreille encore frappée de cette voix plaintive dont je n'entendis jamais le son sans émotion. Le crépuscule en commençant d'éclairer les objets, ne fit que les transformer au gré de mon imagination troublée. Mon effroi redouble et m'ôte le jugement : après avoir trouvé ma porte avec peine, je m'enfuis de ma chambre ; j'entre brusquement dans celle d'Edouard : j'ouvre son rideau et me laisse tomber sur son lit en m'écriant hors d'haleine : C'en est fait, je ne la verrai plus ! Il s'éveille en sursaut, il saute à ses armes, se croyant surpris par un voleur. A l'instant, il me reconnaît ; je me reconnais moi-même, et pour la seconde fois de ma vie, je me vois devant lui dans la confusion que vous pouvez concevoir.

La Nouvelle Héloïse,
cinquième partie, IX

La mort de Julie

Un jour, tout le monde est réuni pour une partie à Chillon, dans la famille de Wolmar. Julie, voyant un de ses enfants en difficulté sur le lac, se jette à l'eau. Cet acte de courage lui est fatal. Elle tombe malade puis meurt, apaisée, dans les bras de sa cousine Claire. Dans la dernière lettre – qu'il recevra après la mort de Julie – Saint-Preux découvre la sérénité qui la gagne à l'orée d'une mort qu'elle reçoit comme un bienfait du ciel.

Oui, j'eus beau vouloir étouffer le premier sentiment qui m'a fait vivre, il s'est concentré dans mon cœur. Il s'y réveille au moment qu'il n'est plus à craindre ; il me soutient quand mes forces m'abandonnent ; il me ranime quand je me meurs. Mon ami, je fais cet aveu sans honte ; ce sentiment resté malgré moi fut involontaire ; il n'a rien coûté à mon innocence ; tout ce qui dépend de ma volonté fut pour mon devoir : si le cœur qui n'en dépend pas fut pour vous, ce fut mon tourment et non pas mon crime. J'ai fait ce que j'ai dû faire ; la vertu me reste sans tache, et l'amour m'est resté sans remords.

J'ose m'honorer du passé ; mais qui m'eût pu répondre de l'avenir ? Un jour de plus peut-être, et j'étais coupable ! Qu'était-ce de la vie entière passée avec vous ? Quels dangers j'ai courus sans le savoir ! A quels dangers plus grands j'allais être exposée ! Sans doute je sentais pour moi les craintes que je croyais sentir pour vous. Toutes les épreuves ont été faites ; mais elles pouvaient trop revenir. N'ai-je pas assez vécu pour le bonheur et pour la vertu ? Que me restait-il d'utile à tirer de la vie ? En me l'ôtant, le ciel ne m'ôte plus rien de regrettable, et met mon honneur à couvert. Mon ami, je pars au moment favorable, contente de vous et de moi ; je pars avec joie, et ce départ n'a rien de cruel. Après tant de sacrifices, je compte pour peu celui qui me reste à faire : ce n'est que mourir une fois de plus.

Je prévois vos douleurs, je les sens ; vous restez à plaindre, je le sais trop ; et le sentiment de votre affliction est la plus grande peine que j'emporte avec moi. Mais voyez aussi que de consolations je vous laisse ! Que de soins à remplir envers celle qui vous fut chère vous font un devoir de vous conserver pour elle ! Il vous reste à la servir dans la meilleure partie d'elle-même. Vous ne perdez de Julie que ce que vous en avez perdu depuis longtemps. Tout ce qu'elle eut de meilleur vous reste. Venez vous réunir à sa famille. Que son cœur demeure au milieu de vous. Que tout ce qu'elle aima se rassemble pour lui donner un nouvel être. Vos soins, vos plaisirs, votre amitié, tout sera son ouvrage. Le nœud de votre union formé par elle la fera revivre ; elle ne mourra qu'avec le dernier de tous. [...]

Adieu, adieu, mon doux ami... Hélas ! j'achève de vivre comme j'ai commencé. J'en dis trop peut-être en ce moment où le cœur ne déguise plus rien... Eh ! pourquoi craindrais-je d'exprimer tout ce que je sens ? Ce n'est plus moi qui te parle ; je suis déjà dans les bras de la mort. Quand tu verras cette lettre, les vers rongeront le visage de ton amante, et son cœur où tu ne seras plus. Mais mon âme existerait-elle sans toi ? sans toi quelle félicité goûterais-je ? Non, je ne te quitte pas, je vais t'attendre. La vertu qui nous sépara sur la terre nous unira dans le séjour éternel. Je meurs dans cette douce attente : trop heureuse d'acheter au prix de ma vie le droit de t'aimer toujours sans crime, et de te le dire encore une fois !

La Nouvelle Héloïse,
sixième partie, XII

Du mythe personnel au mythe collectif

Pour Jean Starobinski, « La Nouvelle Héloïse » est un roman tout entier symbolique.

Le bonheur de Clarens, synthèse et guérison imaginaire des conflits du monde, porte encore en lui trop d'élan passionnel, trop d'insatisfaction pour ne pas briser les institutions formelles où il risque de s'immobiliser. Il reste trop menacé par le retour désastreux du désir charnel, pour ne pas chercher un refuge qui soit tout ensemble la plus irrévocable séparation et la chance de la suprême union : ce refuge est la mort, et celle-ci peut aussi bien signifier le parfait accomplissement de la passion que l'échec de toute tentative d'aménagement politique d'un ordre terrestre. La trajectoire du roman s'achève en vue d'un terme ultime qui se dérobe à notre raison : parti des profondeurs troubles de la convoitise (que Rousseau ne nous laisse pas ignorer, en deçà de l'expression épurée de la rhétorique amoureuse), l'élan ascensionnel se porte, de sacrifice en sacrifice, vers l'au-delà. Un roman religieux ? Oui, mais dans la mesure seulement où la foi et l'adoration sont des avatars de l'énergie désirante, où elles sont des métamorphoses de l'éros dont tous les stades et tous les visages ont eu successivement leur moment d'épanouissement dans la lente durée du livre. Certes, à travers tout le roman, le langage religieux est constamment *exploité* pour donner à l'effervescence du sentiment son expression anoblie. On n'a pas manqué de dénoncer, dans ce recours aux vocables de la langue sacrée, un travestissement hypocrite des intérêts les plus égoïstes de la passion. Mais Rousseau a raison de nous inviter à considérer son roman comme un tout, et à ne pas séparer la « faiblesse » de Julie de son rachat. Aussi peut-on dire que le langage religieux, au moment de la convoitise charnelle la plus ardente, loin de donner aux appétits une légitimation frauduleuse, en annonce d'emblée la transfiguration possible. C'est pour avoir parlé le langage du sacré au sein même des voluptés que Julie et Saint-Preux s'orientent vers l'espoir religieux, quand la séparation sera intervenue : ils peuvent changer de conduite sans changer de langage. Le vocabulaire sacralisé de la passion contenait d'avance tous les éléments (d'accent souvent masochiste) du sacrifice vertueux : il entraîne les cœurs et dicte leurs révolutions. Il en va de même pour la valeur symbolique de quelques sites : c'est par la réminiscence du mythe de la plénitude et de la transparence paradisiaque que le paysage du Valais, le Bosquet, le

Rousseau et Mme de Warens.

Chalet, l'Élysée de Julie, la fête des Vendanges se chargent de toute leur puissance de séduction. Ce sont des reflets de l'Unité, des lieux où sont miraculeusement réunis tous les contraires que la dure histoire des hommes sépare : l'amour et l'innocence ; l'art et la nature ; la solitude et la communauté... Immodestement, obéissant aux exigences de son désir, Rousseau a projeté sur les paysages de Suisse romande une préfiguration du ciel, un souvenir de l'origine. Il greffe, sur les lieux qu'il a traversés, une signification eschatologique : il utilise le symbole religieux pour édifier son mythe personnel. Qui s'en étonnera ? Tout prédispose un mythe personnel, ainsi élaboré, à se muer en mythe collectif pour la génération suivante.

J. Starobinski,
Jean-Jacques Rousseau,
la transparence et l'obstacle
Gallimard, 1971

« Les Rêveries » : entre philosophie et littérature

« Je n'ai jamais rien pu faire la plume à la main vis-à-vis d'une table et de mon papier ; c'est à la promenade, au milieu des rochers et des bois [...], que j'écris dans mon cerveau. »

Automne 1776. Rousseau, accablé de misère, abandonne à la fois la lutte contre ses ennemis et ses vains efforts pour reconquérir ses amis. Il meurt deux ans plus tard, laissant inachevé le manuscrit de ces « Rêveries du promeneur solitaire », rédigées au hasard de longues promenades dans Paris et ses alentours.
Il existe une double postérité des « Rêveries », l'une littéraire, l'autre philosophique.

Ce sont en effet quelques-unes de ces pages, inventant le poème en prose et proches de la musique, qui frapperont le plus ceux qui traceront les chemins du romantisme, et notamment Chateaubriand.

Mais la rêverie chez Rousseau est plus qu'un exercice littéraire. Contre la tradition cartésienne française, Rousseau pense dans un univers philosophique ouvert par l'empirisme anglais (Locke et Hume) et français (Condillac et Diderot). Plus que tous ses contemporains, il a su privilégier des objets jusqu'alors peu interrogés comme la sensibilité, le sens intime, le cœur, la voix de la nature, « substituer à la chaîne des raisons visibles et saisissables un flux de sensations et d'images, en voie de métamorphoses » (M.Raymond), ouvrant à la philosophie un champ inexploré.

« Mon cœur s'est purifié à la coupelle de l'adversité... »

Dans la première « Promenade », Rousseau souligne le lien qui existe entre « Les Confessions » et « Les Rêveries ».

Tout est fini pour moi sur la terre. On ne peut plus m'y faire ni bien ni mal. Il ne me reste plus rien à espérer ni à craindre en ce monde, et m'y voilà tranquille au fond de l'abîme, pauvre mortel infortuné, mais impassible comme Dieu même.

Tout ce qui m'est extérieur m'est étranger désormais. Je n'ai plus en ce monde ni prochain, ni semblables, ni frères. Je suis sur la terre comme dans une planète étrangère, où je serais tombé de celle que j'habitais. Si je reconnais autour de moi quelque chose ce ne sont que des objets affligeants et déchirants pour mon cœur, et je ne peux jeter les yeux sur ce qui me touche et m'entoure sans y trouver toujours quelque sujet de dédain qui m'indigne, ou de douleur qui m'afflige. Écartons donc de mon esprit tous les pénibles objets dont je m'occuperais aussi douloureusement qu'inutilement. Seul pour le reste de ma vie, puisque je ne trouve qu'en moi la consolation, l'espérance et la paix, je ne dois ni ne veux plus m'occuper que de moi. C'est dans cet état que je reprends la suite de l'examen sévère et sincère que j'appelai jadis mes *Confessions*. Je consacre mes derniers jours à m'étudier moi-même et à préparer d'avance le compte que je ne tarderai pas à rendre de moi. Livrons-nous tout entier à la douceur de converser avec mon âme puisqu'elle est la seule que les hommes ne puissent m'ôter. Si à force de réfléchir sur mes dispositions intérieures je parviens à les mettre en meilleur ordre et à corriger le mal qui peut y rester, mes méditations ne seront pas entièrement inutiles, et quoique je ne sois plus bon à rien sur la terre, je n'aurai pas tout à fait perdu mes derniers jours. Les loisirs de mes promenades journalières ont souvent été remplis de contemplations charmantes dont j'ai regret d'avoir perdu le souvenir. Je fixerai par l'écriture celles qui pourront me venir encore ; chaque fois que je les relirai m'en rendra la jouissance. J'oublierai mes malheurs, mes persécuteurs, mes opprobres, en songeant au prix qu'avait mérité mon cœur. [...]

Ces feuilles peuvent donc être regardées comme un appendice de mes *Confessions*, mais je ne leur en donne

plus le titre, ne sentant plus rien à dire qui puisse le mériter. Mon cœur s'est purifié à la coupelle de l'adversité, et j'y trouve à peine en le sondant avec soin quelque reste de penchant répréhensible. Qu'aurais-je encore à confesser quand toutes les affections terrestres en sont arrachées ? Je n'ai pas plus à me louer qu'à me blâmer : je suis nul désormais parmi les hommes, et c'est tout ce que je puis être, n'ayant plus avec eux de relation réelle, de véritable société. Ne pouvant plus faire aucun bien qui ne tourne à mal, ne pouvant plus agir sans nuire à autrui ou à moi-même, m'abstenir est devenu mon unique devoir, et je le remplis autant qu'il est en moi. Mais dans ce désœuvrement du corps mon âme est encore active, elle produit encore des sentiments, des pensées, et sa vie interne et morale semble encore s'être accrue par la mort de tout intérêt terrestre et temporel. Mon corps n'est plus pour moi qu'un embarras, qu'un obstacle, et je m'en dégage d'avance autant que je puis.

Les Rêveries du promeneur solitaire,
première promenade

Le refuge de l'île Saint-Pierre

« Quelquefois mes rêves finissent par la méditation, mais plus souvent mes méditations finissent par la rêverie, et durant ces égarements mon âme erre et plane dans l'univers sur les ailes de l'Imagination. »

Quand le lac agité ne me permettait pas la navigation je passais mon après-midi à parcourir l'île en herborisant à droite et à gauche, m'asseyant tantôt dans les réduits les plus riants et les plus solitaires pour y rêver à mon aise, tantôt sur les terrasses et les tertres, pour parcourir des yeux le superbe et ravissant coup d'œil du lac et de ses rivages couronnés d'un côté par des montagnes prochaines, et de l'autre élargis en riches et fertiles plaines dans lesquelles la vue s'étendait jusqu'aux montagnes bleuâtres plus éloignées qui la bornaient.

Quand le soir approchait je descendais des cimes de l'île et j'allais volontiers m'asseoir au bord du lac, sur la grève, dans quelque asile caché ; là le bruit des vagues et l'agitation de l'eau fixant mes sens et chassant de mon âme toute autre agitation la plongeaient dans une rêverie délicieuse où la nuit me surprenait souvent sans que je m'en fusse aperçu. Le flux et reflux de cette eau, son bruit continu mais renflé par intervalles frappant sans relâche mon oreille et mes yeux, suppléaient aux mouvements internes que la rêverie éteignait en moi et suffisaient pour me faire sentir avec plaisir mon existence, sans prendre la peine de penser. De temps à autre naissait quelque faible et courte réflexion sur l'instabilité des choses de ce monde dont la surface des eaux m'offrait l'image : mais bientôt ces impressions légères s'effaçaient dans l'uniformité du mouvement continu qui me berçait, et qui sans aucun concours actif de mon âme ne laissait pas de m'attacher au point qu'appelé par l'heure et par le signal convenu je ne pouvais m'arracher de là sans effort. [...]

Tout est dans un flux continuel sur la terre. Rien n'y garde une forme constante et arrêtée, et nos affections qui s'attachent aux choses extérieures passent et changent nécessairement comme elles. Toujours en avant ou en arrière de nous, elles rappellent le passé qui n'est plus ou préviennent l'avenir qui souvent ne doit point être : il n'y a rien là de solide à quoi le cœur se puisse attacher. Aussi n'a-t-on guère ici-bas que du plaisir qui passe ; pour le bonheur qui dure je doute qu'il y soit connu. A peine est-il dans nos plus vives jouissances un instant où le cœur puisse véritablement nous dire : « Je voudrais que cet instant durât toujours » ; et comment peut-on appeler bonheur un état fugitif qui nous

LES
CONFESSIONS
DE
J. J. ROUSSEAU,
Suivies
A
DES RÊVERIES
Du Promeneur Solitaire.
TOME PREMIER.

A GENEVE.
M. DCC. LXXXII.

laisse encore le cœur inquiet et vide, qui nous fait regretter quelque chose avant, ou désirer encore quelque chose après ?

Les Rêveries du promeneur solitaire, cinquième promenade

La postérité littéraire de Rousseau

Pour suivre les profonds sillages qu'ont tracés dans la littérature moderne, française et étrangère, *Les Confessions et Les Rêveries*, c'est toute une carte qu'il faudrait déployer, avec des noms et des dates, des hommes et des œuvres. On y verrait la source et les enrichissements de la très puissante et envoûtante tradition de l'autobiographie sous ses trois formes principales. La première est celle des mémoires, de Restif aux *Mémoires d'outre-tombe*, de Stendhal à *Si le grain ne meurt* (bornons-nous à la France). La deuxième, qui n'a cessé de s'imposer davantage à l'attention, est celle du journal intime, vers lequel Jean-Jacques s'acheminait peut-être avec *Les Rêveries*. [...]

La troisième est celle du souvenir romancé et du roman autobiographique, où Senancour et Cosntant précèdent Nodier, Nerval, Sainte-Beuve, Musset, le jeune Flaubert, et tant d'autres jusqu'à Proust. Mais on ferait une place également au poème en prose, à celui de Guérin ou même de Baudelaire, qui avait songé à intituler *Le Promeneur solitaire* les textes du *Spleen de Paris* ; on en ferait une à la méditation philosophique, méditation *privée*, dépourvue de tout appareil d'école et rattachée à l'expérience quotidienne – Senancour et Maine de Biran, Michelet (avant Jules Lequier), prennent ici la suite des *Rêveries*. Ces voies sont divergentes, elles excluent parfois une filiation directe, mais elles révèlent une appartenance commune et un même désir : d'une part, celui de dénuder la nature humaine jusqu'à la douleur, comme pour lui arracher un secret ; d'autre part, celui de découvrir dans la vie, et d'abord dans l'enfance, des lieux qui semblent garder un reflet du paradis perdu. Encore faudrait-il, si on souhaitait que ces quelques indications ne fussent pas trop décevantes, rappeler que l'autobiographie de Rousseau a contribué au premier chef à transformer le concept même de littérature, centré désormais, non plus sur l'œuvre, être ou objet existant pour soi, mais sur l'auteur, et moins sur l'auteur que sur l'homme avec son drame personnel et sa figure irremplaçable. On comprendrait alors, même en ne considérant que les trois cimes majeures de l'autobiographie, *Les Confessions*, *Les Dialogues*, *Les Rêveries*, que Bergson ait pu dire qu'aucune œuvre, dans aucune littérature, n'avait exercé une influence comparable à celle de Jean-Jacques Rousseau.

Marcel Raymond,
Rousseau, Œuvres complètes,
Gallimard (La Pléiade), 1959.

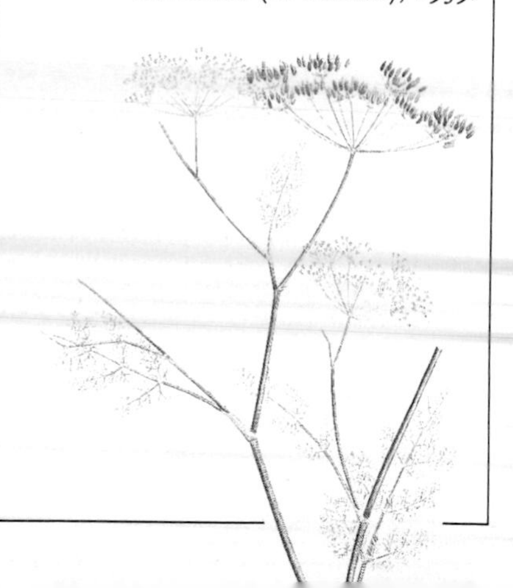

Un sentiment qui était appelé à un bel avenir romantique, la mélancolie, vient en faveur chez les poètes de la fin du XVIIIe siècle et au début du XIXe siècle. Appelant Gœthe et Rousseau à la rescousse, on chante la solitude la nature et la « longue inquiétude » du cœur...
« Je vois d'ici verdir les pentes de Clarens,
Des rêves de Rousseau fantastiques royaumes... » (Lamartine)

AU REPOS

Par le salut de coq, le bruit de la faux réveillé,
Je t'ai promis, propice, ma louange,
Et voici que dans le serein midi
Sonne pour moi l'heure de la ferveur.

Le réconfort qu'un banc devant la maison semble
Au guerrier dans l'exil bruyant de la bataille,
Quand les bras déchirés retombent
Et que l'acier est brisé dans le sang,

Voilà ta consolation, Repos !
Tu donnes au dédaigné la force des géants :
Il défie les visages papelards,
Il défie les sifflantes langues de vipère.

Dans le val des violettes et l'ombre du bosquet bruissant
Il s'assoupit, ivre des ferveurs douces
De l'avenir, tandis que flotte autour de lui
La robe d'ailes de l'innocence.

Le calme magicien y enseigne au dormeur
À brandir hardiment sa torche au labyrinthe,
À courir porter l'étendard
Où le contrecarre la morgue.

Il se lève, il descend plus grave le ruisseau
Vers son asile. Et vois : l'œuvre divine
Mûrit dans la grande âme.
Un seul printemps encore : elle s'achève.

En ce site le noble esprit te dresse,
Repos, ô don des dieux ! l'autel de gratitude,
Et souriant de plaisir, il attend là, pareil
Au soleil qui s'en va, plus long sommeil.

Vois en effet ! L'enfant se presse à son tombeau,
Saisi d'un haut frisson, comme au tombeau du Sage,
Du noble esprit qui, par l'haleine
Des peupliers frôlé, repose en l'île.

Hölderlin
traduction de Philippe Jaccottet

Gravure anglaise du XVIIIe siècle représentant Rousseau.

« Vous voyez comme ce ciel est pur et serein ; eh bien : j'y vais. »

1778 : mort des philosophes Voltaire et Rousseau. Voici comment la mort de Rousseau est rapportée dans la « Correspondance secrète » de Métra :

Paris le 7 juillet 1778. Voici une nouvelle qui vous fera presque autant de sensation que celle de la mort de Voltaire, c'est celle que Jean-Jacques Rousseau est mort au château d'Ermenonville, à douze lieues d'ici. A neuf heures du matin il a été frappé d'apoplexie, et trois heures après il était déjà mort. [...]

Il avait recommandé instamment qu'on le fît ouvrir après sa mort, de crainte d'être enterré vivant. Sa femme était aussi à Ermenonville ; elle pleurait amèrement à côté de son mari mourant. Il fit ouvrir les fenêtres de sa chambre, et dit à sa femme : « Consolez-vous, vous voyez combien ce ciel est pur et serein ; eh bien : j'y vais. » Et en même temps, il expire. Depuis peu, Monsieur, voilà pour la France, pour l'Europe, deux pertes irréparables, Voltaire et Rousseau, et quoique, à la honte de la littérature, ces deux grands hommes n'aient pas été amis, il semble que la mort doit les mettre pour le talent au même niveau. Rousseau était, plus éloquent, et malgré les calomnies de ses ennemis, sa probité était incontestable. Il est difficile de peindre la vertu avec tant de sensibilité sans en éprouver tous les charmes, Voltaire avait beaucoup plus d'esprit ; mais il était jaloux, vindicatif, et son âme n'était pas aussi belle. *La Guerre de Genève* sera une tache éternelle à sa mémoire. Voltaire au fond du cœur n'en sentait pas moins tout ce que valait l'immortel auteur d'*Emile*. Un jour un homme de sa connaissance lui parlait de lui. « Ah ! le bourreau ! dit Voltaire, s'il avait voulu que nous nous entendissions, nous aurions fait une révolution dans la manière de penser, et le public n'y aurait pas perdu. » N'était-ce pas convenir qu'il lui manquait ce que possédait l'auteur du *Contrat social* ?

Correspondance secrète
de Métra,
7 et 12 juillet 1778

Le Journal illustré

VINGT-SIXIEME ANNÉE — N° 5

GRAVURES

Jean-Jacques Rousseau, par **Henri Meyer**. — *L'amiral Jurien de la Gravière*, par **Henri Meyer**. — *Cabanel*, par **Henri Meyer** — *Nos illustrations de* **Paradis perdu**, par **Henri Meyer**. — *Le monôme des étudiants*, par **G. Julien**.

DIMANCHE 3 FÉVRIER 1889.

Le Journal illustre est mis en vente dès le vendredi matin.

ABONNEMENTS	UN AN	SIX MOIS
Paris	6 50	3 50
Départements . . .	7 50	4 »

Administration et Rédaction à Paris, hôtel du **Petit Journal**. *Rue Lafayette 61*.

PRIX DU NUMÉRO : **15** CENTIMES

TEXTE

Chronique de la semaine, par **Alfred Barbou**. — *Beaux-Arts et Théâtres*, par **Charles Darcours**. — *Nos gravures*, par **Léon Kerst**. — *Sur l'échafaud*, nouvelle (suite), par **H. de Waudricourt**. — *Mot carré syllabique inédit*.

LES ANNONCES SONT REÇUES AU BUREAU DU JOURNAL, 61, RUE LAFAYETTE
ET 16, RUE GRANGE-BATELIÈRE.

JEAN-JACQUES ROUSSEAU

BIBLIOGRAPHIE

Œuvres de Rousseau :

La plupart des textes sont publiés en édition de poche : Livre de poche, Folio, Garnier-Flammarion, etc.

J.-J. Rousseau, *Œuvres complètes*, quatre tomes édités, éd. de la Pléiade, Gallimard. Un cinquième et dernier tome est actuellement en préparation.

Pour les textes non encore publiés dans l'édition de la Pléiade *Lettres sur les spectacles*, Garnier-Flammarion ; *Essai sur l'origine des langues*, Ducros, Bordeaux ; *Dictionnaire de musique* ; *Lettres*, choix de Marcel Raymond, la Guilde du livre, Lausanne ; *Lettres philosophiques*, choix de Henri Gouhier, Vrin, Paris.

Etudes sur Rousseau et son œuvre :

Jean Guéhenno, *Jean-Jacques, histoire d'une conscience*, deux tomes, Gallimard, 1968.

Jean Starobinski, *Jean-Jacques Rousseau : la transparence et l'obstacle*, Gallimard, 1971.

Alexis Philonenko, *Jean-Jacques Rousseau et la pensée du malheur*, trois tomes, Vrin, 1984.

Ernst Cassirer, *Le problème Jean-Jacques Rousseau*, Hachette, 1987.

Tzvetan Todorov, *Frêle bonheur*, essai sur Rousseau, Hachette, 1985.

Marcel Raymon, *Jean-Jacques Rousseau. La quête de soi et la rêverie*, José Corti, 1962.

Articles

« Pensée de Rousseau », articles d'Eric Weil, Ernst Cassirer, Leo Strauss, Charles Eisenmann, Robert Derathé, Paul Bénichou, Victor Goldschmidt, Seuil, 1984.

« L'impensé de Jean-Jacques Rousseau », *Les Cahiers pour l'analyse* n° 8. avec les articles importants de Louis Althusser, et Alain Grosrichard.

Alain Grosrichard a publié plusieurs articles sur Rousseau : « L'air de Venise », *Ornicar ?* n° 25, Navarin. « Le prince saisi par la philosophie », *Ornicar*, n° 26/27, Navarin. « On ne s'avise jamais de tout », *Ornicar*, n° 30, Navarin. « Jardins d'enfants ou les leçons d'*Emile* », Le temps de la réflexion, Gallimard.

« Présentation de Rousseau juge Jean-Jacques », Michel Foucauld, bibliothèque de Cluny, Armand Colin.

« Jean-Jacques Rousseau et le péril de la réflexion », *L'Œil vivant*, Gallimard ; « Le progrès de l'interprète », *L'Œil vivant II, la relation critique*, Gallimard, 1983.

« Le remède dans le mal » : la pensée de Rousseau, in *Le remède dans le mal*, Gallimard, 1989.

« Les journées de la Nouvelle Héloïse » ; « Jours uniques, plaisirs redoublés » ; « La promenade en solitaire » ; « Le bonheur du soir et le travail nocturne ». Tous ces articles ont été repris dans Jean Starobinski, *Cahier pour un temps*, Centre Georges Pompidou.

TABLE DES ILLUSTRATIONS

CHAPITRE II

CHAPITRE III

CHAPITRE IV

91 L'Imprimerie, gravure de Joseph Wagner, 1770.
92/93 *Jean-Jacques Rousseau prenant congé du maréchal de Luxembourg*, peinture de Jacquand, musée d'Art et d'Histoire de Neuchâtel.
93 *Louis-François de Bourbon, prince de Conti*, gravure d'après Le Tellier, XVIIIe siècle, Bibl. nat., Paris.
94 *Où veux-tu fuir ? Le fantôme est dans ton cœur*, gravure pour *Les Confessions*, XVIIIe siècle, Bibl. nat., Paris.
95 *Jean-Jacques Rousseau, en Suisse, persécuté et sans asile*, gravure de Charron, musée Carnavalet, Paris.

CHAPITRE V

96 *L'Homme de la nature*, gravure d'Augustin Le Grand, musée Jean-Jacques Rousseau, Genève.
97 *Coquelicot*, aquarelle de Lemoyne de Morgue, XVIe siècle, Victoria and Albert Museum, Londres.
98 *Portrait de Frédéric II, roi de Prusse*, pastel, XVIIIe siècle, musée des Beaux-Arts, Nantes.
99 *Rousseau embrasse la terre de Suisse*, gravure d'après Le Barbier pour *Les Confessions*, XVIIIe siècle, Bibl. nat., Paris.
100g *Paysan suisse*, aquarelle, XVIIIe siècle, bibliothèque des Arts décoratifs, Paris.
100d Arrêt de la cour condamnant l'*Emile* de Rousseau, Bibl. nat., Paris.
101h *Maison de Rousseau à Môtiers-Travers*, lithographie de Villain par E. Pingret, musée Rousseau, Môtiers, Suisse.
101b *Chasseur de chamois*, aquarelle, XVIIIe siècle, Bibl. des Arts-Décoratifs, Paris.
102h *Vue cavalière de l'île de la Corse*, (détail), peinture de Hyacinthe de la Pegna, XVIIIe siècle, musée de Versailles.
102/103 *Vue cavalière de la Corse*, Hyacinthe de la Pegna, idem.
105 *Portrait de Voltaire dans son cabinet de travail*, 1775, musée Carnavalet, Paris.
106h *Les habitants de Môtiers-Travers lancent des pierres sur Rousseau*, gravure, XVIIIe siècle, Bibl. nat., Paris.
106b Rousseau en barque sur le lac de Bienne, illustration de Maurice Leloir pour *Les Confessions*, Bibl. nat., Paris.
107 *Vue de l'île Saint-Pierre au milieu du lac de Bienne* (détail), peinture de Maximilien de Meuron, musée d'Art et d'Histoire de Neuchâtel.
108 Herbier de Rousseau, Muséum d'histoire naturelle, Paris.
109 Strasbourg, cartes et plans, Bibl. nat., Paris.
110g Lis martagon, illustration de Pierre-Joseph Redouté pour *La Botanique*.
110d Pissenlit, idem.
111g Narcisse, idem.
111d Œillet, idem.
112 Pêche, idem.
113 Poire et lis, idem.
114/115 *Covent Garden*, peinture de John Collet, XVIIIe siècle, Londres.
115h *Thérèse Levasseur*, gravure, XVIIIe siècle, Bibl. nat., Paris.
116 *Trie-le-Château*, gravure, XVIIIe siècle, Bibl. nat., Paris.
117 *Vue de l'église Saint-Eustache d'une maison de la rue Plâtrière*, peinture de Martin Drolling, XIXe siècle, musée Carnavalet Paris.
118 *Le Gâteau des rois*, gravure allégorique du partage de la Pologne en 1772, Bibl. polonaise, Paris.
119 Bernardin de Saint-Pierre, gravure coloriée, XIXe siècle.
120 *Rousseau apportant son manuscrit « Rousseau juge Jean-Jacques » à Notre-Dame*, gravure d'après Le Barbier, XVIIIe siècle.
121 *La Leçon de botanique* (détail) aquarelle, XVIIIe siècle, B.P.U., Genève.
122 Ebauches pour *Les Rêveries* au dos d'une carte à jouer, B.P.U., Neuchâtel.
123 *Jean-Jacques Rousseau herborisant à Ermenonville*, aquarelle de Mayer, XVIIIe siècle, B.P.U., Genève.
124/125 Maison du philosophe, gravure XVIIIe siècle, bibl. des Arts décoratifs, Paris.
126/127 *Les Dernières Paroles de Jean-Jacques Rousseau*, gravure coloriée d'après Moreau le Jeune, musée Carnavalet, Paris.
128 *Le tombeau de Jean-Jacques Rousseau « La vertu lui rend hommage »*, gravure coloriée, XVIIIe siècle, I.N.R.P., coll. historique.

TÉMOIGNAGES ET DOCUMENTS

129 *Monument érigé à Genève à Jean-Jacques Rousseau*, gravure, Bibl. nat. Paris.
135 *La chambre de Jean-Jacques*, gravure, Bibl. nat., Paris.
136 *Le café Procope*, dessin, musée Carnavalet.
137 Carte du club des amis de Jean-Jacques.
138 *La Divinité du siècle*, dessin de Dunker Balthasar Anton, Kunstmuseum, Berne.
140 *Rousseau contemplant les beautés sauvages de la Suisse*, gravure, Bibl. nat., Paris.
142 *Vue des Halles au moment des fêtes pour la naissance du Dauphin*, peinture de Louis-Philibert Debucourt, musée Carnavalet.
143 Cabinet de cire représentant Franklin, Voltaire et Rousseau, réalisé par Orsy, musée de la Révolution Française, Vizille.
144 « Je crois donc que le monde est gouverné par une volonté puissante et sage », gravure dans l'*Emile*, Bibl. nat., Paris.
145 Emile, un ciseau d'une main et le maillet

de l'autre, achève une mortaise, gravure dans l'*Emile*, Bibl. nat., Paris.
146 Frontispice de l'*Emile*, Bibl. nat., Paris.
149 Page de titre de l'*Emile*, 1762.
150 *Jean-Jacques Rousseau aux Charmettes*, gravure, Bibl. nat., Paris.
151 *Voltaire buvant un café*, gravure, Bibl. nat., Paris.
153 *Rousseau* gravure, Bibl. nat., Paris.
155 *Rousseau herborisant en compagnie de deux enfants*, gravure, Bibl. Nat., Paris.
156 *Jean-Jacques Rousseau observant les premiers pas de l'enfance*, sculpture de Jean-Guillaume Moitte, musée Carnavalet.
159 *Le char de Rousseau devant le Panthéon*, aquarelle de Jean-Baptiste Hilaire, 1792, coll. particulière.
163 *Aux âmes sensibles*, vue du tombeau de Rousseau à Ermenonville, gravure, Bibl. nat., Paris.
164 *Mme de Warens*, gravure XVIIIe siècle.
167 Autographe de Rousseau du *Devin du Village*, dans *Le Mercure de France*.
168 *Mlle Desgots de Saint-Domingue déchiffrant une partition*, aquarelle de Carmontelle, musée Carnavalet.
170 Prospectus pour une édition de *La Nouvelle Héloïse*, Bibl. nat., Paris.
172 *Julie se jette à l'eau pour sauver l'un de ses enfants*, gravure dans *La Nouvelle Héloïse*, Bibl. nat., Paris.
175 *Portrait de Julie*, gravure dans *La Nouvelle Héloïse*, Bibl. nat., Paris.
177 *Rousseau et Mme de Warens*, gravure XIXe siècle, BPU de Genève.
178 *Rousseau rêvant*, gravure de Huet.
179 Page de titre de *La Botannique*, musée des Arts Décoratifs.
180 Page de titre des *Confessions*, Bibl. nat., Paris.
183 *Rousseau*, gravure anglaise colorée, XVIIIe siècle, INRP coll. historique.
185 *Fenouil*, aquarelle de Redouté pour *La Botannique*, Bibl. du Muséum d'histoire naturelle.

INDEX

CRÉDITS PHOTOGRAPHIQUES

Maurice Aeschiman 12. Archiv für Kunst und Geschichte, Berlin 11, 31, 45, 47, 91, 105, 137, 142, 149. Bibliothèque nationale Paris 1er plat dos, 2, 3, 4, 5, 6, 7, 8, 9, 16, 19, 20, 23, 27, 34, 41, 57, 82, 84, 85, 93, 94, 129, 130, 133, 134, 135, 140, 144, 145, 146, 150, 151, 153, 155, 163, 170, 172, 175. Christophe Blatt 54, 55. Bridgeman-Giraudon 23, 97. Bulloz 48, 49, 52, 99, 178. CDDP d'Indre-et-Loire 43. Jean-Loup Charmet 42, 43, 51, 63, 65, 69, 71, 73, 118, 124, 125, 126, 127, 128, 159, 168, 179, 183. Dagli Orti 21, 37, 60, 67, 68, 69, 75, 88, 95, 98, 121, 123, 136. De Selva-Tapabor 24, 25. DR 32-33. Edimédia 57, 78. E.T. Archive 114, 115. Explorer-Archives 90, 119. Giraudon 19, 25, 64, 87, 108, 109. Patrick Lafaite 110, 111, 112, 113. 185. Lauros-Giraudon 28, 35, 36, 38, 43, 53, 117, 4e de couv. François Martin 18. Musée des Beaux-Arts de Bordeaux 83. Réunion des Musées nationaux 40, 50, 81, 102, 103. Tabapor 40, 44, 55. Christian Poite 13, 14, 29, 82, 96, 177. Sipa-Icono 26, 116. Roger-Viollet 20, 49, 53, 66, 70, 72, 77, 79, 106h, 164, 180.

REMERCIEMENTS

L'auteur tient à remercier particulièrement Sylvie L'Hermite-Howlett pour son aide précieuse, ainsi que Jean-Paul Brighelli, Jean-Luc Rispail, Christian Biet, Jeanne Dupuis et Robert Houri. Les éditions Gallimard remercient Madeleine Pinault, documentaliste au Cabinet des Arts graphiques du musée du Louvre, François Matthey, conservateur du musée Rousseau de Môtiers en Suisse, la Galerie de Loës et les éditions Coeckelberghs à Genève, Jacques Dubois, président de la Société archéologique de Touraine et Charles Wirz, conservateur du musée Voltaire à Genève.

COLLABORATEURS EXTÉRIEURS

Béatrice Fontanel a été responsable de la recherche iconographique et de la coordination de cet ouvrage. Manne Héron en a conçu la maquette.

Table des matières

I LES INITIATIONS

II L'ENGAGEMENT

III LA DISTANCE

IV LE PHILOSOPHE

V LE RÉPROUVÉ

TÉMOIGNAGES ET DOCUMENTS